GEORGE NORTH

George North

GEORGE NORTH

gydag Alun Gibbard

Diolch i Mam a Dad a'r teulu i gyd
am bopeth a diolch i'r cefnogwyr am
fod yno o'r diwrnod cynta.

Noddir gan
Lywodraeth Cymru
Sponsored by
Welsh Government

CYNGOR LLYFRAU CYMRU

ISBN: 978 184771 636 1
Argraffiad cyntaf: 2013

Mae'r prosiect Stori Sydyn/Quick Reads yng Nghymru
yn cael ei gydlynu gan Gyngor Llyfrau Cymru
a'i gefnogi gan Lywodraeth Cymru.

Argaffwyd a chyhoeddwyd gan
Y Lolfa, Talybont, Ceredigion SY24 5HE
gwefan www.ylolfa.com
e-bost ylolfa@ylolfa.com
ffôn 01970 832 304
ffacs 832782

PENNOD 1

DOEDD DIM UN CHWARAEWR arall i mewn yn ymarfer yn y clwb y diwrnod hwnnw. Roedd yn ddiwrnod o orffwys i bawb, ond gan fy mod i wedi cael anaf i 'nghoes roedd angen i mi ymarfer. Teimlo roeddwn i y byddwn yn gwella'n gynt wrth wneud mwy o ymarferion. Felly, dyna pam roeddwn i yn y *gym* ym Mharc y Scarlets ar fy mhen fy hun. Ar ôl mwynhau sesiwn dda iawn, a minnau ar y ffordd i'r car yn y maes parcio, sylwes fod tair neges ar fy ffôn symudol. Roedd enwau wrth ddwy o'r negeseuon – un gan fy mam ac un gan ddyn o'r enw Iestyn Thomas, hyfforddwr Coleg Llanymddyfri. Rhaid oedd ffonio Mam yn ôl yn gynta wrth gwrs. Holi am yr anaf roedd hi, a braf oedd cael ateb drwy ddweud bod fy nghoes yn gwella'n dda iawn. Dyna'n union roedd Iestyn am ei wybod hefyd.

Mi agores i'r neges ola wedyn. Doeddwn i ddim yn gallu coelio fy llygaid. 'Llongyfarchiadau! Rydych chi wedi cael eich dewis i fod yng ngharfan Cymru ar gyfer gêmau'r hydref 2010. Bydd e-bost yn dilyn cyn bo hir, ond yn y cyfamser a fyddech cystal ag ateb i ddweud eich bod wedi derbyn y neges hon?' A dweud y gwir, doeddwn i ddim yn credu bod y neges yn un go iawn. Yn y cyfnod hwnnw byddai fy ffrindiau'n tynnu fy nghoes trwy ddweud y byddwn yn siŵr o fod yn nhîm Cymru. Felly, wrth ddarllen y neges, mi feddylies i'n syth mai un o'r hogia oedd wedi'i hanfon. Mae pawb sy'n fy nabod i'n gwybod fy mod innau'n hoff o chwarae triciau a thynnu coes. Felly, yn naturiol roeddwn yn credu mai un o'r hogia oedd yn gweld ei gyfle i dalu 'nôl.

Eto, roedd yn beth peryglus cymryd hynny'n ganiataol hefyd. Beth petai hon yn neges go iawn? Roedd angen meddwl sut dylwn i ymateb. Un ffordd saff oedd ceisio gweld, cyn ateb, o ble daeth y neges. Mi ffonies fy asiant ac egluro'r sefyllfa iddo. Dywedodd ei fod o'n fodlon ffonio Undeb Rygbi Cymru ac y byddai'n fy ffonio 'nôl efo'r ateb.

Roeddwn yn dal ym maes parcio Parc y Scarlets ac yn cerdded o gwmpas yn aflonydd iawn yn aros am yr alwad honno. Yn araf iawn, o funud i funud, roedd yr amser ar fy wats yn symud. Yn y diwedd ffoniodd yr asiant yn ôl.

'Llongyfarchiadau, boi! Ti yng ngharfan Cymru!'

Rŵan, roeddwn yn gallu ymateb a dathlu go iawn. Roeddwn bron yn dawnsio o gwmpas y ceir yn y maes parcio. Reit, ffonio Mam oedd y cam cynta.

'Mam, be ti'n 'neud rŵan?'

'Ar y ffordd i'r banc, George. Pam, be sy?'

'Ma gen i newyddion. Dwi wedi cael fy newis i fod yng ngharfan Cymru...'

'Paid â deud celwydda wrtha i, George. Un arall o dy driciau di eto!'

'Na, mae'n wir y tro yma, Mam.'

Wel, am ymateb. Mae'n siŵr fod pawb o'i chwmpas wedi dychryn wrth glywed ei llais. Ffonio Dad wedyn ac yntau wrth ei fodd, yn naturiol ddigon. Roeddwn am ddweud wrth weddill y teulu, dwy chwaer a brawd, ond wrth eu ffonio mi ddes i wybod bod pawb roeddwn i'n siarad efo nhw wedi derbyn y newyddion yn barod. Roedd Dad mor gyffrous nes ei fod wedi cysylltu â phawb cyn i fi fedru gwneud. Er mod i am ddweud wrthyn nhw fy hun, roedd Dad yn gynt na fi. Wnaeth y ffôn ddim stopio canu wedyn am amser hir wrth i bobol ffonio i fy llongyfarch.

Ar ddydd Mercher roedd hyn. Y dydd Llun canlynol es i ymarfer efo carfan Cymru yng Ngwesty'r Vale. Yno mi ges i wybod y byddwn yn chwarae yn erbyn De Affrica. Hon fyddai fy ngêm gynta dros Gymru a hynny yn erbyn tîm o gewri hemisffer y De, a finnau'n ddim ond 18 oed. Ond wrth baratoi ac ymarfer yn galed aeth hyn oll yn angof, bron. Gan fod chwaraewyr De Affrica i gyd yn enwau cyfarwydd i fi, gwyddwn yn union faint y dasg. Gwyddwn hefyd am eu dull o chwarae. Ond, ar y llaw arall wrth gwrs, roedd chwarae i Gymru yn brofiad hollol newydd i mi a doedd gen i ddim syniad beth i'w ddisgwyl. Doedd gen i ddim syniad sut y byddwn yn ymateb wrth chwarae ar y lefel ucha posib a bod ar yr un cae â chwaraewyr tîm Cymru.

Daeth y noson cyn y gêm. Pan fyddwn ni'n aros dros nos efo carfan Cymru, mi fyddwn ni'n rhannu stafell â chwaraewr sy'n chwarae mewn safle tebyg. Mae hyn yn wir pan fyddwn ni'n chwarae oddi cartre neu yn ein pencadlys yng Ngwesty'r Vale, Bro Morgannwg, cyn y gêmau rhyngwladol yng Nghaerdydd. Felly, yn y Vale, roeddwn yn rhannu stafell efo'r asgellwr arall, Shane Williams. Rhannu efo aelod o'r tîm, felly, oedd wedi cael ei ddewis yn Chwaraewr Rhyngwladol y Flwyddyn ychydig flynyddoedd cynt. Gall Shane gysgu'n iawn cyn pob gêm a bydd yn aros yn y gwely mor hir ag sy'n bosib. Ond roeddwn i mor gyffrous, doedd dim llawer o obaith y byddwn yn mynd i gysgu. Felly, mi ges i dabled cysgu gan feddyg tîm Cymru ac i'r gwely â fi. Gweithiodd y dabled, diolch byth, ond eto i gyd mi ddeffres i'n gynnar iawn. Tua wyth o'r gloch, mentres adael y stafell gan obeithio peidio â deffro Shane, oedd yn dal i gysgu'n drwm. Doedd fawr o obaith ei ddeffro, a dweud y gwir, felly i lawr â fi wedyn i gael brecwast.

Roeddwn yn teimlo'n eitha da bryd hynny, yn nerfus ond ddim yn rhy nerfus. Doeddwn i ddim yn teimlo'n sâl ac roeddwn yn ddigon siaradus. Cafodd rhai ohonon ni'r hogia gyfnod i ymlacio efo'n gilydd a chyfle i dynnu coes a chwerthin rhywfaint. Ond roedd fy chwerthin i'n rhyw chwerthiniad digon nerfus ac annaturiol.

Y cam nesa oedd cyfarfod Andy McCann, seicolegydd tîm Cymru, a chael sgwrs anffurfiol efo fo dros baned o de. Erbyn hynny, roedd pawb arall wedi codi o'u gwlâu, hyd yn oed Shane! Mae patrwm pendant iawn i ddiwrnod gêm ryngwladol. Daw pawb at ei gilydd, er mwyn i ni gael cyfarfod cynta'r dydd a dechrau rhoi trefn ar bethau. Wedyn byddwn yn mynd drwy dactegau'r gêm, ac yna'n cael pryd o fwyd cyn yr ornest. Byddwn yn mynd i'r gawod wedyn, yn newid a pharatoi ein bagiau'n barod i fynd ar y bws i'r stadiwm. Ar y bws bydd cyfarfod arall i'r tîm ac yna byddwn ni'n cyrraedd y stadiwm. Mae'n broses bendant sydd yn ein paratoi'n feddyliol, gam wrth gam, fel y byddwn ar ein gorau ar y cae.

Wrth i hyn ddigwydd, teimlwn yn fwy a mwy cyffrous. O ganlyniad, roedd yr holl ddiwrnod fel petai'n symud fel rhaglen deledu ar *fast forward*. Ond yn y stafell newid, ar ôl i mi newid i wisgo'r cit, llusgo'n ofnadwy wnaeth yr amser cyn i mi glywed chwiban gynta'r gêm ar y cae. Dyna'r cyfnod gwaetha i fi, gorfod disgwyl yn nerfus, lladd amser cyn y gic gynta. Mi rydw i'n un sy'n hoffi newid yn eitha sydyn ac yna mynd allan ar y cae i brofi'r awyrgylch cyn gynted â phosib. Ar ôl aros am dipyn, allan â fi ar fy mhen fy hun i gae Stadiwm y Mileniwm. Gan fod y to ar gau'r diwrnod hwnnw, roedd yr awyrgylch yn fwy dwys a byw, yn wir roedd o'n drydanol.

Cyn pob gêm mi fydda i'n gwneud un peth penodol bob tro. Wrth gyrraedd ymyl y cae, mi fydda i'n plygu a chyffwrdd blaen fy mysedd yn y paent sy'n marcio'r llinellau. Wedyn mi fydda i'n arogli'r paent. Rydw i'n hoff o'r arogl am ryw reswm ac mae'n creu rhyw gyswllt rhyngdda i a'r gêm. Mae hyn yn arferiad gen i ym mhob gêm, ac mi ddilynes y drefn, felly, ar ddiwrnod fy ngêm gynta dros Gymru. Ar ôl i mi wneud hynny, mi wnes i loncian yn ddigon hamddenol hanner ffordd rownd y cae.

Roeddwn i isio profi'r awyrgylch yn y stadiwm a dod yn gyfarwydd efo'r maes. Dyma'r tro cynta i mi chwarae yno wedi'r cyfan.

Y diwrnod hwnnw roedd Andy McCann allan ar y cae hefyd. Daeth draw i siarad efo fi a holi oedd popeth yn iawn. Ar ôl i mi ddweud fy mod i'n teimlo'n ocê, cafodd y ddau ohonon ni sgwrs ar y cae am bob dim dan haul, pob dim heblaw am rygbi. Holodd fi am bethau personol oedd ddim yn ymwneud â'r gêm ei hun – am fy mam, fy nhad, am y ci... Wedyn daeth yr hogia eraill allan a newidiodd ei bwyslais.

'Canolbwyntia rŵan, George, rheola dy anadlu. Gwna'r ymarferion yna rydyn ni wedi bod yn eu trafod. Cofia na fyddet ti yma ar y cae yn y lle cynta heblaw ein bod ni'n gwybod dy fod ti'n ddigon da. Ti yma am reswm, a dos i wneud yr hyn ma pawb yn hyderus dy fod yn gallu ei wneud.'

Roedd wedi fy mharatoi i feddwl am y gêm mewn dull arbennig, ffordd syml, ond eto roedd yn gwybod yn union beth i'w wneud, gam wrth gam. Cynhesu oedd y dasg nesa i ni fel chwaraewyr ar y cae. Mae hon hefyd yn broses benodol. Dechrau yn ddigon ara deg y byddwn ni ac yna cynyddu'r tempo a'r dwyster yn raddol. Erbyn y gic gynta, rydyn ni i gyd, pob un ohonon ni, i fod yn hollol barod yn feddyliol ac yn gorfforol i wynebu'r gêm.

Ond cyn y chwarae, wrth gwrs, roedd yn rhaid canu'r anthem. Roedd sefyll mewn rhes fel un o'r tîm am y tro cynta yn deimlad arbennig iawn. Ond wedyn, pan ddechreuodd y band chwarae nodau cynta'r anthem, roedd hynny'n deimlad emosiynol iawn i fi. Fedrwn i ddim aros yn llonydd. Roeddwn yn symud fy mhwysau o un droed i'r llall. Ond nid hynny'n unig, fedrwn i ddim cadw fy nwylo, fy mreichiau na'm coesau'n llonydd. Mi rydw i'n dal i wneud hynny pan fydda i'n chwarae dros Gymru. Mae canu'r anthem yn deimlad mor bwerus ac mi gawn ni'r chwaraewyr y teimlad fod y dorf anferth yn y stadiwm yn canu'r anthem i'n hysbrydoli ni. Edryches i lawr a gweld bathodyn Cymru ar fy nghrys a llenwodd hynny fi â hyd yn oed mwy o falchder. Bydda i'n cael yr un teimlad bob tro y bydda i'n chwarae dros Gymru. Ond erbyn hyn mae gen i ffordd o ddelio â hyn a rheoli'r emosiwn. Mi fydda i'n dewis un lle rywle yn y stadiwm ac yn syllu ar y man hwnnw drwy gydol yr anthem. Os na fydda i'n gwneud hynny, mi fydda i ar chwâl yn emosiynol.

Ac yna, dechreuodd fy ngêm gynta dros Gymru. Yr hyn a'm trawodd oedd ei bod yn gêm mor gyflym. Rydw i'n cofio gorfod anadlu'n drwm iawn a bod fy ysgyfaint yn llosgi oherwydd cyflymdra'r gêm – a hynny ar ôl dim ond pum munud o chwarae! Meddylies, 'George, ma gen ti 75 munud arall i'w chwarae. Wnei di byth ddal ati tan y diwedd!'

Mae cyffwrdd yn y bêl am y tro cynta mewn gêm bob amser yn help i lacio'r tensiwn. Mae hynny'n arbennig o wir i asgellwyr. Yn ffodus iawn, doedd dim rhaid i fi aros yn hir cyn i hynny ddigwydd. Mi ddalies i'r bêl, rhedeg ychydig fetrau, cyn cael fy nhaclo a syrthio i'r llawr. Ond eto i gyd roedd hynny'n help mawr. Ar ôl rhyw chwarter awr, roeddwn yn teimlo fy hun yn dechrau ymlacio ac yn dod yn rhan o'r gêm yn y stadiwm rhyngwladol.

Un agwedd yn unig o fod yn chwaraewr rhyngwladol oedd dod yn gyfarwydd efo cyflymdra'r gêm. Dod yn gyfarwydd efo'r ochr gorfforol oedd y brif nodwedd arall. Mi ges i ergyd nerthol iawn reit yn fy asennau gan Francois Steyn. Ar ôl codi ar fy nhraed doeddwn i ddim yn medru anadlu am dipyn. Ac yn wir cyn dod dros y dacl gynta honno mi ges i ergyd arall mewn ryc wedyn. Roedd pob tacl yn gadarn dros ben. Croeso i rygbi rhyngwladol, George!

Os oedd cyffwrdd yn y bêl am y tro cynta

yn brofiad arbennig, roedd yr ail waith i fi
gyffwrdd ynddi'n brofiad gwell byth, yn wir
yn well nag y gallwn i fod wedi breuddwydio.
Roedd Cymru'n ymosod ar linell De Affrica.
Rydw i'n cofio Stephen Jones yn gweiddi arna
i er mwyn rhoi'r alwad i ddweud beth fyddai'r
symudiad nesa. Gwaeddes 'nôl i ddangos fy
mod i wedi deall ei neges. Daeth y bêl allan i
fi'n reit gyflym. Roedd angen i mi jyglo ychydig
arni i wneud yn siŵr ei bod yn ddiogel yn fy
ngafael. Wedyn mi wnes i redeg yn galed am y
llinell gais. Rhedodd Tom Shanklin ar un ongl
gan dynnu rhai o'r amddiffynwyr i'w ddilyn o,
a rhedodd James Hook ar ongl arall gan ddenu
sylw rhai amddiffynwyr eraill. O ganlyniad i'r
cyd-chwarae yma mi ges innau'r cyfle wedyn i
redeg yn glir am y llinell gais. A'r bêl yn sicr yn
fy ngafael, edryches i fyny a gweld nad oedd
neb o 'mlaen, rhyngdda i a'r llinell. Anghofia
i byth sŵn y dorf wrth i fi redeg. Roedd yn
fyddarol, ac yn fy sbarduno i fynd mor gyflym
â phosib a chroesi am gais. Gan fy mod yn
hogyn ifanc, a minnau yn fy ngêm gynta wedi
croesi'r llinell, codes fy mraich yn yr awyr
mewn ecstasi. Mi wnes i hynny heb feddwl o
gwbl!

Ar ôl codi wedi sgorio, a sŵn y dorf yn fy
nghlustiau, mi drois rownd ac yno yn fy wynebu

roedd yr hogia eraill i gyd: Alun Wyn Jones, Hookie, Steve, Lee Byrne a Shane Williams. Y rhain oedd fy arwyr i. Yn gynharach y flwyddyn honno, roeddwn yn un o'r dorf yn eu gwylio nhw'n chwarae ac yn eu parchu am fod yn gymaint o sêr, yn wir yn sêr ar lwyfan byd rygbi hyd yn oed. Y foment honno, roedden nhw i gyd yn rhedeg ata i er mwyn fy llongyfarch am sgorio cais dros Gymru. Ar fy ffordd 'nôl i lawr y cae, tra oedd Stephen Jones yn cymryd y trosiad, trodd Shane ata i a dweud gyda gwên ddireidus, 'Ma'r busnes sgori ceisiau 'ma yn rhwydd, on'd yw e?' Dyna foment na wna i byth ei hanghofio tra bydda i byw.

Roedd profiadau gwerthfawr eraill i ddod yn ystod y gêm. Yn yr ail hanner roedd Cymru yn ymosod unwaith eto. Mi arwyddes ar Stephen Jones i gicio'r bêl ar draws y cae at fy ystlys i. Mi wnaeth hynny, ac yn ôl ei arfer, roedd y gic yn berffaith. Mi gydies i yn y bêl a chroesi'r llinell am gais arall. Roeddwn wedi sgorio fy ail gais dros Gymru a hynny yn fy ngêm gynta dros fy ngwlad. Unwaith eto, fel efo'r cais cynta, yr hyn fydd yn aros yn y cof fydd sŵn y dorf. Mae teimlo cymaint o gefnogaeth, teimlo gwres brwdfrydedd y cefnogwyr yn deimlad anhygoel i bob chwaraewr. Mae gynnon ni yng Nghymru gefnogwyr gwych – y rhai gorau.

Er i ni golli'r gêm o bedwar pwynt, roedd hwn yn berfformiad da gan y tîm. Mi ddangoson ni ddigon o dân ac ymroddiad. Er ein bod ar ei hôl hi ym munudau ola'r gêm, wnaethon ni ddim ildio. Mi ymosodon ni tan y funud ola. Roedd bod yn un o'r tîm yn brofiad gwerthfawr iawn i fi, yn fy ngêm gynta dros fy ngwlad. Wna i ddim anghofio agwedd meddwl y chwaraewyr mwya profiadol – er ein bod ni'n colli, roedden nhw'n dal yn bositif. Roedd hynny'n brofiad gwerthfawr.

I fi, wrth gwrs, ar lefel bersonol, roedd yn ddiwrnod anodd ei ddisgrifio. Fel chwaraewr proffesiynol, mae'n anodd dygymod â cholli gêm. A finnau'n ennill fy nghap gynta, mor braf fasa cael buddugoliaeth. Eto i gyd, roedd y cap hwnnw gen i. Roeddwn yn awr yn chwaraewr rhyngwladol, a minnau'n ddim ond 18 mlwydd oed. Yn ogystal â hynny roeddwn wedi sgorio dau gais yn fy ngêm gynta. Allwn i ddim fod wedi breuddwydio am ddechrau gwell i fy ngyrfa ryngwladol o safbwynt perfformiad personol. Mi gyrhaeddes i'r llwyfan rhyngwladol yn sydyn iawn, felly anodd i mi, y diwrnod hwnnw, oedd medru gwerthfawrogi pob dim a ddigwyddodd.

PENNOD 2

DIWRNOD MAWR OEDD Y diwrnod pan wnes i adael cartre am y tro cynta. Mi rydw i'n ei gofio'n glir iawn ac nid am ei fod yn ddiwrnod hapus chwaith. A dweud y gwir, mi aeth y daith â fi bron at ymyl ochr dywyll byd Harry Potter. Roeddwn wedi byw ar Ynys Môn yn ddigon hapus efo 'nheulu ers blynyddoedd. Doeddwn i ddim hyd yn oed yn gadael Cymru ond roedd yn dal yn gam anodd iawn i'w gymryd. Roedd yn siwrne hir iawn hefyd, gan fy mod yn gorfod mynd yr holl ffordd i lawr i dde Cymru ac oriau o eistedd yn y car. Ond nid dyna oedd y broblem fwya. Yn ogystal â gorfod gadael cartre, byddwn hefyd yn mynd i fyd cwbl estron i mi.

Roeddwn wedi derbyn ysgoloriaeth i fynd i Goleg Llanymddyfri i astudio ar gyfer fy Lefel A. Ond, yn fwy pwysig na hynny, roeddwn wedi derbyn ysgoloriaeth i wella fy rygbi yno hefyd. Talwyd am hanner yr ysgoloriaeth gan y coleg yn enw'r cawr mawr o fyd rygbi, sef Carwyn James. Roedd Carwyn yn gyn-athro Cymraeg yn y coleg ond, yn fwy na hynny, roedd yn un o'r hyfforddwyr rygbi gorau erioed. Fo oedd wedi hyfforddi tîm Llewod Prydain ac Iwerddon i guro'r Crysau Duon mewn cyfres brawf am y tro cynta erioed yn Seland Newydd. Fo hefyd oedd wedi hyfforddi tîm Scarlets Llanelli a gurodd y Crysau Duon ar ddiwrnod na fydd y cefnogwyr yn ei anghofio yn 1972. Roedd ennill ysgoloriaeth yn ei enw o yn dipyn o anrhydedd. Clwb rygbi Llanelli fyddai'n talu am hanner arall yr ysgoloriaeth. Roedd hynny hefyd yn anrhydedd gan fod tîm tre'r Sosban yn un o glybiau enwoca'r byd. Mae'n glwb sydd wedi datblygu cannoedd o chwaraewyr rhyngwladol a'r rheini wedi cynrychioli nifer o wledydd, y rhan fwya ohonyn nhw wedi chwarae i Gymru wrth gwrs. Felly roeddwn i'n hogyn ifanc 16 oed ar fy ffordd i Goleg Llanymddyfri yn enw Carwyn James a Chlwb Rygbi Llanelli. Roedd yr holl beth yn afreal braidd i fachgen o Sir Fôn ac yn rhoi llawer o bwysau ar ysgwyddau ifanc i lwyddo.

Anghofia i byth gyrraedd tre Llanymddyfri ar ôl y daith hirfaith i lawr o'r gogledd yn y car efo Mam a Dad. Mi gyrhaeddon ni giatiau'r coleg – rhai tal, duon a chrand iawn, a bathodyn y coleg arnyn nhw. Rydw i'n cofio meddwl eu bod nhw'n fy atgoffa i o'r fynedfa i Gastell Hogwarts yn ffilmiau Harry Potter. Daeth rhyw ofn drosta i wrth feddwl y byddai'r giatiau, ar ôl i mi fynd trwyddyn nhw, yn cau yn syth, a dyna ni, byddai'n 'amen' arna i. Byddwn i'n gaeth yn y byd estron yma. Doedd y ffaith fod adeiladau'r coleg yn edrych ychydig fel ysgol oedd yn llawn ysbrydion ddim yn help chwaith. Felly, roeddwn yn fwy nerfus byth wrth i'r car ymlwybro tuag at brif fynedfa Coleg Llanymddyfri.

Mi ges i wybod mai yn nhŷ Dewi y byddwn i yn y coleg yn ystod y flwyddyn gynta. Roeddwn yn nabod un neu ddau o'r hogia yno, neu'n gwybod amdanyn nhw o leia, trwy fy nghysylltiad â'r byd rygbi. Ond roedd cannoedd ar gannoedd o ddisgyblion yno nad oeddwn i wedi'u gweld nac wedi clywed amdanyn nhw o gwbl cyn hynny. Y dasg gynta oedd dadbacio'r car a gosod popeth yn fy stafell newydd. Mi gymerodd ryw awr i wneud y dasg honno a dyna'r awr fwya araf yn fy mywyd. Roedd pob eiliad yn llusgo wrth i fi geisio deall a derbyn yr hyn oedd yn digwydd i mi. Byddai'n rhaid i mi ddod yn gyfarwydd â bywyd mewn ysgol fonedd; wedi'r cyfan, dyma fyddai 'nghartre i am y ddwy flynedd nesa. Daeth y dadbacio i ben ac ar ôl rhyw fân siarad, dyma Dad a Mam yn dweud eu bod am droi 'nôl am adre i Ynys Môn, gan fod siwrne hir o'u blaenau. Finnau wedyn yn gofyn iddyn nhw aros am ryw bum munud bach arall. Doeddwn i ddim isio iddyn nhw fynd. Roedd eu gweld nhw'n fy ngadael yno'n anodd iawn. Sut roedden nhw'n teimlo, sgwn i?

Digon anodd fuodd bywyd yn ystod y tri mis cynta yn y coleg, a dweud y gwir. Mi ges i sawl cyfnod o deimlo mod i wedi cymryd cam rhy fawr wrth ddod i'r coleg. Byddwn yn ffonio adre'n gyson ac yn dweud nad oeddwn yn hapus yno. A dweud y gwir, roeddwn wedi laru ar y lle, a bob tair wythnos cawn fynd adre am benwythnos. Y troeon cynta yr es i adre, byddwn yn holi fy rhieni pam roedden nhw wedi fy anfon i ffwrdd i'r fath le. Roedd hyd yn oed safon fy rygbi'n dioddef yno. Yn syml, roeddwn yn anhapus am fod fy mywyd newydd mor wahanol i'r bywyd roeddwn wedi arfer efo fo cyn hynny.

Ar Ynys Môn roeddwn wedi byw'r rhan fwya o 'mywyd cyn symud i Goleg Llanymddyfri. Cefais fy ngeni yn King's Lynn, Swydd Norfolk, lle roedd Dad yn beiriannydd yn yr RAF ac wedi'i leoli yng ngwersyll RAF West Raynham. Roedd West Raynham yn un o ganolfannau pwysig yr RAF yn ystod yr Ail Ryfel Byd gan fod sawl un o ymgyrchoedd y Bomber Command wedi hedfan oddi yno. Un elfen amlwg o fywyd rhywun yn yr RAF ydi gorfod symud cryn dipyn. Felly, a minnau'n 15 wythnos oed, symudodd y teulu i Hong Kong. Wedyn aethon ni i Singapore, i Katmandu ac yna 'nôl i Hong Kong. Mi fues i'n byw yn yr holl wledydd yma cyn i fi fod yn dair blwydd oed. Yn anffodus, roeddwn yn rhy ifanc i gofio fawr ddim am y profiadau a gafodd y teulu yn y gwledydd amrywiol hynny. Mae fy nwy chwaer, Natalie a Hayley, a 'mrawd, Josh, yn cofio tipyn mwy na fi am mai fi ydi'r ieuenga o bedwar o blant.

Ar ôl ei ail gyfnod yn Hong Kong, cafodd Dad ei anfon i weithio yng ngwersyll yr RAF yn y Fali, Ynys Môn. Newid byd go fawr, a dweud y gwir. Ond doedd o ddim yn newid byd i Mam o gwbl, gan iddi gael ei geni a'i magu yn Llanfachraeth, rhyw ddeg munud o'r Fali. Felly, i Mam, roedd y symud yma'n mynd â hi 'nôl adre. Cafodd Dad ei eni yn Scarborough ac roedd o wedi bod yn gweithio yn yr RAF yn y Fali flynyddoedd cyn hynny. Dyna pryd y gwnaeth o gyfarfod â Mam. Byddai dynion yr RAF yn arfer mynd i'r tafarnau lleol pan oedd cyfle ac yn cyfarfod â'r bobol leol, wrth gwrs, wrth wneud hynny. A dyna sut y gwnaeth Dad a Mam gyfarfod.

Wedi i ni symud o Hong Kong, roedden ni'n byw yn Station Road, y Fali, y tu allan i'r gwersyll. Dyna oedd ein cartre am gyfnod llawer mwy sefydlog i'r teulu nag a gawsom yn

ystod tair blynedd gynta fy mywyd. Arhosodd
Dad yn yr RAF tan oeddwn i'n wyth mlwydd
oed. Yna gadawodd ei swydd a dechrau ar waith
newydd fel gof, yn gwneud giatiau a ffensys
haearn, a chawson ninnau ddal i fyw ar Ynys
Môn. Felly, cyn gwneud y daith hir yna i lawr i
Lanymddyfri yn un ar bymtheg oed, roeddwn
wedi byw ar Ynys Môn am dair blynedd ar
ddeg. Roedd hynny'n gyfnod pwysig iawn yn
fy mywyd, cyfnod o dyfu o fod yn blentyn i
fod yn fachgen ifanc.

Un peth oedd yn newydd i mi yn ardal y Fali
oedd clywed cymaint o Gymraeg. Doedd dim
Cymraeg i'w glywed yn Norfolk, Hong Kong,
Singapore na Katmandu wedi'r cwbwl! Cafodd
Mam ei magu ar aelwyd Gymraeg ei hiaith ac
roedd yn awyddus iawn i fi siarad Cymraeg a bod
yn ymwybodol o'r bywyd Cymraeg yn ogystal.
Mae gen i sawl anti sy'n siarad Cymraeg hefyd,
yn ogystal ag aelodau eraill o'r teulu. Felly, ar
ôl symud i Ynys Môn, roedd y Gymraeg o'm
cwmpas ym mhobman. Ond er mor amlwg
ydi'r iaith yn nheulu fy mam, yn yr ysgol y des
i siarad yr iaith go iawn. Roedd hynny wrth ei
dysgu yn y gwersi ac wrth siarad efo ffrindiau.
Roedd un adeg benodol pan fyddai Mam bob
amser yn siarad Cymraeg efo fi, a hynny pan
fyddai'n dweud y drefn wedi i mi gamfihafio.

'George North, tyrd yma, ar unwaith,' fyddai ei gorchymyn.

Dros y blynyddoedd rydw i wedi dod i werthfawrogi treftadaeth a hanes Cymru yn fwyfwy wrth dyfu'n hŷn. Credaf ei bod mor bwysig cadw traddodiadau Cymru yn fyw. Dydw i ddim yn honni fy mod i'n un o'r goreuon am fedru siarad yr iaith ond mi fydda i'n gwneud fy ngorau i'w siarad ar bob cyfle posib. Dydw i ddim bob amser yn hyderus yn siarad Cymraeg yn gyhoeddus ond mi fydda i bob amser yn fodlon mentro. Pan dwi'n siarad Saesneg does gen i ddim acen gogledd Cymru o gwbl, ond mae'r acen yn amlwg iawn pan fydda i'n siarad Cymraeg. Ar ôl dweud hynny, mae byw am bedair blynedd yn ne Cymru yn dechrau newid pethau hefyd. Bydd Mam yn holi'n aml pan af adre rŵan, pam fod gen i gymaint o eiriau rhyfedd yn fy iaith. Bydd Nhad ar y llaw arall yn tynnu fy nghoes oherwydd bod fy acen yn swnio'n od iddo fo.

Ar hyn o bryd mae lot o'r hogia sy'n chwarae i Gymru yn siarad Cymraeg hefyd. Mae hynny'n beth da. Flwyddyn neu ddwy yn ôl, roeddwn yn chwarae gêm yn y Chwe Gwlad ac roedd pob un o'r cefnwyr yn siarad Cymraeg. Dwi'n meddwl bod hynny'n grêt er mwyn i bobol weld bod yr iaith yn cael ei defnyddio ym mhob math o sefyllfa.

Pan wnaeth Dad adael yr RAF mi symudon ni o'r Fali i Roscolyn, sydd rhwng y Fali a Bae Trearddur. Pentre bach iawn ydi Rhoscolyn, allan yng nghanol y wlad. Does dim llawer o dai yno o gwbl ond does dim prinder caeau agored a'r rheini'n ymestyn o'r pentre i bob cyfeiriad. Yn ffodus, doedd y symud ddim wedi golygu bod yn rhaid i fi symud o ysgol gynradd y Fali, ac roeddwn i mor falch am fod gen i grŵp o ffrindiau da iawn yno. Byddem yn chwarae pêl-droed efo'n gilydd yn gyson amser chwarae.

Y tu allan i'r ysgol byddai gen i grŵp o ffrindiau gwahanol a oedd hefyd yn mwynhau gwneud yr un pethau â fi. Rhwng y ddau grŵp, roeddwn wrth fy modd yn cael gwneud amrywiaeth mawr o weithgareddau. Rygbi, pêl-droed, seiclo, sglefrio bwrdd, mynd ar y beiciau cwad a sawl gweithgaredd arall yn yr awyr iach. Dyna oedd ein byd. Y cwbl allan yn yr awyr iach lle cawson ni gyfle i fwynhau cefn gwlad. Bechgyn fferm oedd nifer o fy ffrindiau. Felly byddwn yn rhoi help llaw ar ffermydd yr ardal a byddai hynny'n rhan bwysig o'n bywyd hefyd. Byddai gweithio ar y bêls gwair bob haf yn dipyn o hwyl ac roedd eu taflu i fyny ar gefn y trelar yn ymarfer da i bob chwaraewr rygbi oedd am fagu cyhyrau. Pan ddaeth hi'n amser symud i'r ysgol gyfun, mi es i Ysgol Uwchradd Bodedern.

Doedd y sinema na chlybiau ieuenctid ddim yn rhan o'n byd ni o gwbl. Alla i ddim eistedd yn llonydd am yn hir yn gwneud dim byd heblaw gwylio. Ar ôl rhyw hanner awr o eistedd, mi fydda i wedi colli diddordeb ac yn cael trafferth canolbwyntio. O ganlyniad i hyn fyddwn i ddim yn edrych ar y gêmau rygbi ar y teledu'n rheolaidd. Ond pan fyddai gêm arbennig yn cael ei chwarae, byddwn yn ei gwylio. Eto i gyd, doedd hi ddim yn ddefod gwylio pob gêm y byddai Cymru yn ei chwarae, na chwaith unrhyw un o ranbarthau Cymru.

Dechreuodd fy niddordeb mewn rygbi go iawn pan ddechreuodd fy mrawd chwarae i Glwb Rygbi Llangefni. Roedd o am gael blas ar y gêm i weld a oedd yn ddigon da ac yn hoffi rygbi. I fi, y brawd ieuenga, doedd hi ddim yn deg iawn o gwbl ei fod o'n cael mynd hebdda i. Felly es at fy mam a'i holi.

'Mam, ga i fynd i chwarae rygbi i glwb Llangefni? Ma Josh yn cael mynd ac felly fyddai hi ond yn deg mod i'n cael mynd hefyd!'

Mi ges fynd efo fo – ac mi wnaeth y byg rygbi fy mrathu go iawn. O'r eiliad yr es i i'r sesiwn gyntaf honno yng nghlwb Llangefni, fyddai fy mywyd fyth yr un fath wedyn. Mi wnes i fwynhau'r sesiwn gynta honno'n fawr iawn. Roeddwn yn chwarae blaenasgellwr, er nad oedd hynny'n golygu fawr ddim i fi ar y pryd. Y cwbl wnes i drwy'r sesiwn oedd rhedeg ar ôl y bêl, lle bynnag y byddai'n digwydd bod. Newidies safle wedyn i chwarae maswr ar ôl deall bod posibilrwydd cryf y gallwn gael ergyd yn fy wyneb petawn yn dal i chwarae yn y pac. Wnes i ddim para'n hir fel maswr chwaith. Roedd gormod yn digwydd o 'nghwmpas i a hynny'n llawer rhy gyflym. Yn gynta symudes i chwarae yn y canol fel canolwr, cyn rhoi cynnig ar bod yn asgellwr. Ond ymhen tipyn mi ges i fy symud yn ôl unwaith eto i chwarae yn y canol. Yn wir wnes i ddim chwarae fel asgellwr go iawn nes i fi gyrraedd Coleg Llanymddyfri a dechrau chwarae i dîm Academi'r Scarlets.

Canolwr oeddwn i i dîm clwb Llangefni a thîm Cymru o dan 16 ac 18. Petai rhywun yn gofyn i fi, 'Ble wyt ti isio chwarae?' fy ateb bob tro fyddai, 'Ar y cae.' Dyna sy'n bwysig. Eto i gyd, dydw i ddim yn credu y baswn i wedi hoffi chwarae yn safle'r prop na'r bachwr! Erbyn hyn, mi rydw i'n hapus iawn yn chwarae ar yr asgell.

Wedi gweld bod cymaint o hogia fy oedran

i'n chwarae yng nghlwb Llangefni, cafodd
tîm rygbi ei ffurfio yn yr ysgol hefyd. Cyn
i'r tîm rygbi gael ei greu yno, byddwn yn
amlwg ym mhob math o chwaraeon – pêl-
droed, criced, badminton, traws gwlad, yn
wir beth bynnag a gâi ei gynnig. Diolch byth
eu bod nhw wedi dechrau cynnig rygbi yn yr
ysgol. Byddwn, felly, yn chwarae i dîm Ysgol
Bodedern ac i Glwb Rygbi Llangefni. Ond er fy
mod yn mwynhau bod yn rhan o bob math o
chwaraeon, daeth yn amlwg y byddai'n rhaid
dewis a chanolbwyntio ar rai gêmau. Felly mi
wnes i roi'r gorau i'r rhan fwya ohonyn nhw.
Penderfynes ddal ati i chwarae rygbi a hefyd
badminton.

Mae pobol yn aml yn gofyn i fi pa gyngor
faswn i'n ei roi i blant neu i bobol ifanc sy'n
chwarae rygbi. Daw'r ateb o'r dyddiau pan
oeddwn yn aelod o'r ddau dîm y gwnes i
chwarae iddyn nhw ar Ynys Môn. Mwynhau'r
gêm sy'n bwysig. Roeddwn wrth fy modd yn
chwarae. Os nad oes mwynhad i'w gael yn
yr oedran hwnnw, does dim unrhyw ddiben
chwarae'r gêm. Pan fydd rhywun yn mynd yn
hŷn, ac amser caled yn taro chwaraewr wrth
iddo gael anaf, cofio am y mwynhad a gafodd
wrth chwarae fydd yn cynnal y chwaraewr
drwy bob anhawster.

Trwy lwc, roedd Dad yn ddyn oedd yn mwynhau pob math o ymarfer corff hefyd. Byddai'n hoff o redeg, seiclo a chodi pwysau yn fwya arbennig. Daeth y diwrnod, a minnau tuag un ar ddeg oed, pan ddechreues fynd efo fo i redeg ar hyd ffyrdd ardal Rhoscolyn. Am y pum munud cynta o redeg, byddai Dad a fi'n rhedeg wrth ochr ein gilydd. Wedyn byddai o'n mynd yn bellach ac yn bellach i ffwrdd oddi wrtha i. Y nod i fi wedyn, wrth gwrs, bob tro yr awn i redeg efo fo, oedd gweld oeddwn i'n gallu aros efo o am fwy a mwy o bellter bob tro. Roedd yn rhywbeth i fi anelu ato ac yn ffordd o ganolbwyntio fy meddwl.

Y cam nesa oedd mynd efo Dad i'r *gym* i godi pwysau. Tua phedair ar ddeg oed oeddwn i ar y pryd. Ond roedd un gwahaniaeth mawr rhwng Dad a fi wrth wneud yr ymarferion hyn. Fyddwn i ddim yn cael rhoi unrhyw bwysau ar y bar. Codi'r bar yn unig fyddwn i'n cael ei wneud yn yr oedran cynnar hwnnw – ar orchymyn Dad. Roeddwn i'n rhy ifanc i godi unrhyw bwysau go iawn, yn ei farn o, dim hyd yn oed y *dumb-bells*. Felly dyna lle byddwn i, yng nghanol pawb arall yn y *gym*, yn codi bar gwag a dim pwysau arno fo! Yn ôl Dad, roedd yn hanfodol bwysig fy mod yn dysgu'r dechneg o godi'r bar yn gynta. Wedyn, ar ôl i Dad weld fy mod wedi meistroli'r dechneg honno, câi'r pwysau eu rhoi ar y bar. Os na fyddwn yn meistroli'r dechneg yn iawn, meddai Dad, byddwn yn fwy tebygol o rwygo cyhyr gan fy mod mor ifanc. Roedd angen i'r corff ddod yn gyfarwydd â'r symudiadau sydd eu hangen i godi pwysau yn gynta.

Ond roedd hogia eraill yr un oed â fi yn y *gym* yn codi bar â phwysau ar bob pen. Doedd hi ddim yn hir cyn iddyn nhw sylweddoli mai codi'r bar yn unig fyddwn i. Dechreuon nhw dynnu fy nghoes ac yn wir fy ngwawdio hefyd. Bydden nhw'n galw enwau arna i ac yn chwerthin am fy mhen. Ymateb Dad oedd dweud wrtha i am beidio cymryd unrhyw sylw ohonyn nhw.

'Canolbwyntia di ar be wyt ti'n ei wneud a phaid â chymryd unrhyw sylw ohonyn nhw. Paid â phoeni am neb arall na'r hyn maen nhw'n ei ddweud.'

Roeddwn yn fachgen tal am fy oed yr adeg honno, er nad oeddwn yn edrych yn ddim byd cryfach na sach o esgyrn. Roedd Dad yn gwybod mai yn raddol roedd angen adeiladu cyhyrau, ac felly byddai'n fy nal yn ôl rhag camu ymlaen yn rhy gyflym. Diolch byth, daeth y diwrnod pan ges i roi pwysau ar y bar a'i godi hefyd. Dad unwaith eto wnaeth fy hyfforddi i godi pwysau. Yn union yr un fath â rhedeg, y nod wrth godi'r pwysau oedd codi'r un pwysau ag y byddai Dad yn ei wneud. Ar ôl dim ond rhyw dri mis, byddwn yn codi mwy o bwysau na'r hogia hynny a oedd yn arfer fy ngwawdio yn y *gym*. Ia, Dad oedd yn iawn unwaith eto.

Curo Dad oedd y nod hefyd pan fyddai'r ddau ohonon ni'n mynd i seiclo. Mi gymerodd ryw bum mlynedd i fi ei ddal o a'i guro yn un o'r campau yma. Does dim syndod fy mod yn cofio'r diwrnod hwnnw'n dda iawn, hyd yn oed heddiw.

Ar y beic roeddwn i, yn seiclo ar hyd llwybr oedd yn gyfarwydd i'r ddau ohonon ni. Taith fer oedd hi o tua tri chwarter awr. Ar ddechrau'r daith byddai'r ddau ohonon ni ochr yn ochr. Wedyn ar ôl ychydig, roedd y ffordd yn troi i'r dde ar un ochr ac i'r chwith yr ochr arall. Mi fyddai Dad yn cymryd un ffordd ac mi gymerwn i'r llall. Ymhen ychydig, roedd y ddwy ffordd yn dod 'nôl at ei gilydd yn agos i'n tŷ ni. Felly'r cynta yn ôl yn y tŷ fyddai'n ennill. Wedi i ni wahanu, ras go iawn oedd hi wedyn i weld pwy fasa'r cynta i gyrraedd. Roedd y ddau ohonon ni'n cymryd y ras yn hollol o ddifri. Y diwrnod hwnnw does dim angen dweud mai fi oedd y cynta i gyrraedd yn ôl i'r tŷ. Am y tro cynta erioed roeddwn

wedi curo Dad yn un o'r campau fydden ni'n
eu gwneud efo'n gilydd.

Roedd y cystadlu hwnnw yn erbyn Dad yn
gyfnod pwysig iawn i fi. Wrth gwrs, cynllun
tymor hir ganddo fo i ddatblygu fy ffitrwydd
oedd o. Nid er mwyn y rygbi roedd o'n
awyddus i ddatblygu fy ffitrwydd yn y lle cynta.
Dechreuodd hyn i gyd cyn i'r rygbi gydio yndda
i go iawn. Ond pan ddechreuodd y rygbi lenwi
fy mryd, roedd hyn yn baratoad perffaith i fi.
Roedd ymarfer ar y cyd yn gweithio'n dda i'r
ddau ohonon ni. Pan fyddai Dad yn dod adre o'r
gwaith ychydig yn ddigalon, byddwn i yno'n
dweud wrtho, 'Tyrd yn dy flaen, Dad, allan â ni'.
Hefyd pan fyddwn i wedi cael diwrnod gwael
yn yr ysgol, byddai o wedyn yn dweud yr un
peth wrtha i. Roedden ni'n cefnogi'n gilydd.
Mae cael cefnogaeth fel yna'n werthfawr iawn
ac yn help sylweddol i unrhyw un ym myd y
campau. Roedd cael cefnogaeth gan fy nhad yn
fwy gwerthfawr byth i mi. Mae'r cwlwm sy'n
bodoli rhwng fy nhad a fi yn un cryf iawn, fel
y mae rhyngddon ni i gyd fel teulu. Mae fy
nhad a finnau'n gystadleuol iawn. Rydw i wedi
magu'r agwedd honno y byddai fy nhad yn ei
phwysleisio wrthon ni i gyd pan oeddem yn
blant – paid â gorffen unrhyw waith tan dy fod
ti'n hapus i ti ei wneud yn iawn. Y dyddiau

yma, rydw i'n trio cofio'i eiriau pan fydda i'n chwarae golff. Rydw i'n anobeithiol ar hyn o bryd yn y gamp honno. Ond oherwydd geiriau fy nhad, bydda i'n dychwelyd yn ôl ac yn ôl, dro ar ôl tro, mewn ymdrech i wella fy safon wrth chwarae golff. Does dim amheuaeth nad ydi datblygu agwedd fel yna wedi bod o gymorth mawr i fi pan ddaeth y cyfle i chwarae rygbi ar y lefel ucha posib, a hynny'n gynnar iawn yn fy mywyd. Mae cefnogaeth Mam wedi bod yn gwbl allweddol hefyd, ond mewn ffordd hollol wahanol. Roedd hi'n fy niogelu ac yn fy mharatoi i ddelio â'r pethau negyddol fyddai'n debygol o ddigwydd i mi, fel cael anafiadau.

Fe ddatblygodd llawer o'r gweithgareddau awyr agored oherwydd bod Mam a Dad yn gweithio. Felly, pan fyddwn yn ffonio Dad yn gofyn am lifft i fynd i dŷ fy ffrind Josh, a oedd yn byw bum milltir i ffwrdd, yr ateb a gawn yn aml oedd ei fod yn gweithio. Byddwn i'n gofyn wedyn, 'Sut medra i gyrraedd yno 'ta?'

Ei ateb o hyd fyddai, 'Ar gefn dy feic!'

Yr haf cyn i fi fynd i Lanymddyfri roedd Dad wedi prynu trampolîn. Roedd yn un mawr, pedair troedfedd ar ddeg, a rhwyd ddiogelwch o'i gwmpas. Ond chyrhaeddodd y rhwyd ddim tan y diwrnod wedyn. Doedd dim posib gadael llonydd i'r trampolîn er nad oedd rhwyd i'n gwarchod. Daeth ffrind draw i'r tŷ, sef y byngalo yn Rhoscolyn.

'Byddai'n syniad grêt neidio ar y trampolîn oddi ar do'r byngalo,' meddai Daf fy ffrind.

'Grêt!' meddwn innau'n ôl.

Daeth Dad adre o'r gwaith. Gofynnes iddo beth fyddai'n digwydd petaen ni'n neidio oddi ar do'r tŷ.

'Byddwch chi'n siŵr o fynd yn uchel iawn,' oedd ei ymateb. 'Ffwrdd â chi, ond paid ti â gadael i dy fam wybod!'

Helpodd Dad fi a Daf i ddringo ar y to ac mi neidion ni oddi arno a glanio ar y trampolîn. Roedd Mam yn y gegin ar y pryd yn paratoi bwyd. Y cyfan welodd hi oedd fi a Daf yn disgyn o'r to ar y trampolîn gan fownsio 'nôl i fyny'n uchel wedyn, cyn disgyn i lawr eto. Digwyddodd hyn dro ar ôl tro. Cafodd andros o sioc, mae hynny'n sicr. Allan â hi i ddweud y drefn wrth y ddau ohonon ni, cyn sylweddoli bod Dad yno efo ni. Chwarae teg, doedd dim llawer i'w wneud mewn pentre bach.

Mi fues i'n ddigon ffodus i lwyddo mewn 11 pwnc yn fy arholiadau TGAU ac felly roedd angen penderfynu beth fyddai'r cam nesa. Roedd hwnnw'n benderfyniad anodd iawn. Roedd y rhan fwya o'm ffrindiau'n gwybod yn union beth roedden nhw am wneud ar ôl gadael ysgol, felly roedd eu penderfyniadau yn yr ysgol yn dipyn haws. Ond doedd gen i ddim syniad o gwbl ac roedd hynny'n dechrau fy mhoeni rhywfaint. Ond roedd Mam yn grêt, yn dweud wrtha i nad oedd angen i fi boeni – er doedd hi ddim mor hapus pan ddywedes wrthi beth faswn i'n hoffi ceisio'i wneud i ennill bywoliaeth. Stunt Man! 'Does gen ti ddim gobaith' oedd ei hateb pendant. Yr unig swyddi eraill fues i'n eu hystyried oedd gwneud gwaith gof fel Dad. Neu bod yn giper er mwyn sicrhau y cawn weithio yng nghefn gwlad.

Tua'r un adeg roeddwn wedi chwarae i dîm dan 16 Cymru ac yn chwarae i ardal Gogledd Cymru hefyd. Mi ddechreues i feddwl falle y byddai bod yn chwaraewr rygbi proffesiynol yn ateb fy mhroblem wedi'r cyfan. Doedd Mam ddim yn rhy hoff o'r syniad hwnnw chwaith, yn enwedig pan ddechreues ei holi ynglŷn â mynd i goleg chwaraeon tebyg i'r colegau hynny yn America roeddwn wedi'u gweld ar y teledu. Roeddwn i'n gwrthod ei chredu y byddai angen i mi astudio pynciau academaidd yn y colegau hynny hefyd. Dim ond chwaraeon oedd yn y fath sefydliadau, yn fy nhyb i. Cyn bo hir, felly, bod yn chwaraewr rygbi proffesiynol oedd fy unig nod ar ôl gadael yr ysgol.

Cyn gwneud fy arholiadau TGAU, daeth neges fod Academi'r Scarlets am fy ngweld yn chwarae. Roedd Kevin George o'r Academi wedi fy ngweld yn chwarae i Ogledd Cymru mewn gêm gyfeillgar yn erbyn Academi'r Scarlets. Wel, dyna ni wedyn. Dyna'r arwydd i fi mai chwaraewr proffesiynol fyddwn i. Doeddwn i ddim hyd yn oed wedi cael gêm brawf ganddyn nhw. Ond roedd y ffaith fod ganddyn nhw ddiddordeb yndda i'n ddigon. Unwaith eto, roedd Dad a Mam yn gyfuniad da wrth iddyn nhw fy annog ar y naill law a chadw fy nhraed ar y ddaear rhag ofn i mi gael fy siomi ar y llaw arall. I fi, roedd diddordeb yr Academi yn ddigon i fy sbarduno i wneud mwy o ymdrech byth er mwyn gwella fy sgiliau.

Yr un cyfnod, daeth cais gan Goleg Hartbury yn Swydd Gaerloyw yn gofyn am fy ngweld yn chwarae. Mae ganddyn nhw gysylltiadau agos â'r academi yng nghlwb rygbi Caerloyw, sy'n chwarae yn Uwch-gynghrair Lloegr. Yn nhŷ fy chwaer un diwrnod, mi wnes i'r penderfyniad. I Academi'r Scarlets y byddwn i'n mynd. Yn dilyn y penderfyniad yma, daeth y cynnig o ysgoloriaeth i Goleg Llanymddyfri. Roedd hynny'n golygu gadael cartre, am y tro cynta yn fy mywyd. Doedd gen i ddim syniad sut roedd defnyddio peiriant golchi, smwddio crys, na gwneud pryd o fwyd. Dim syniad am waith tŷ o gwbl. Felly, roedd yn gyfnod prysur iawn o gael gwersi gan Mam sut roedd gwneud y pethau pwysig mewn bywyd.

Plentyndod iach, llawn hwyl ges i, mewn teulu agos oedd yn gefnogol iawn i mi. Bywyd mewn ardal wledig iawn o Gymru ond eto, roedd yn fywyd cyfoethog iawn. O ardal felly y mentrodd car Mam a Dad y diwrnod aethon nhw â fi i Goleg Llanymddyfri.

PENNOD 3

AR ÔL Y TRI mis cynta mwya ofnadwy, newidiodd pethau yng Ngholeg Llanymddyfri ac mi ges i amser da iawn yno. Mi ddes i'n gyfarwydd â'r holl synau yn y nos oedd yn gallu bod yn ddigon brawychus ar y dechrau. Roeddwn hefyd wedi dod i ddeall ac i dderbyn patrwm bywyd mewn sefydliad, oedd weithiau'n gallu teimlo fel bod mewn carchar. A dweud y gwir, ymhen amser mi ddes i ystyried y lle fel un *sleep-over* mawr yng nghwmni pedwar deg o fy ffrindiau gorau! Oedd, roedd angen gwneud gwaith ysgol wrth gwrs. Ond byddai rygbi'n llenwi rhan o bob diwrnod hefyd, felly roedd ymhell o fod yn ddrwg i gyd. Yna, mi ddechreues i wir fwynhau fy mywyd newydd, diolch byth. Fel arall, petai'r newid hwnnw ddim wedi digwydd mi fydden nhw wedi bod yn ddwy flynedd hir a phoenus. Yn wir dwi'n amheus a fyddwn wedi llwyddo i aros yn y coleg mor hir â hynny, heblaw fy mod wedi dod i'w fwynhau.

Mae rygbi'n elfen bwysig iawn o fywyd yng Ngholeg Llanymddyfri. Bydd ymarfer sawl gwaith yn ystod yr wythnos ac yna bydd gêm ar bnawn dydd Sadwrn. Byddai edrych ymlaen at y gêm dros y penwythnos yn rhan bwysig o fywyd y coleg yn ystod yr wythnos cyn hynny. Byddai llawer o drin a thrafod ymhlith y disgyblion, hyd yn oed y rhai oedd ddim yn chwarae i'r tîm. Ac ar ôl y gêm, byddai pwyso a mesur yr hyn ddigwyddodd yn y gêm yn parhau drwy'r penwythnos ac yn wir hyd at ddechrau'r wythnos wedyn. Câi pob cic a thacl, pob symudiad a digwyddiad eu dadansoddi. Mewn gêm gartre byddai cannoedd o bobol yn gwylio; ar gyfartaledd byddai rhyw bedwar cant yn cefnogi. Byddai pawb yn y coleg yn dod i roi eu cefnogaeth, gan gynnwys y staff a'r disgyblion. A minnau'n ddim ond un ar bymtheg oed, roedd hynny'n dipyn o brofiad gan nad oeddwn yn gyfarwydd â'r fath dorf mewn gêm rygbi.

Roeddwn wedi chwarae i dîm Cymru dan 16, a byddai torf eitha da yn gwylio'r gêmau hynny wrth gwrs. Ond mater arall oedd cael hyd at bedwar cant yn gyson o wythnos i wythnos yn gwylio gêm y coleg. Doedd o ddim yn achosi problem i fi o gwbl – a dweud y gwir, roedd yn eitha cŵl! Mae'n siŵr fod hynny wedi bod yn rhyw fath o help i mi yn y broses o gyfarwyddo â chwarae o flaen torfeydd mawr yn fy ngyrfa rygbi.

Roedd ambell gêm yn bwysicach na'i gilydd

wrth gwrs. Gêm fwya'r tymor oedd honno yn erbyn Coleg Crist, Aberhonddu – y *crunch game*! Mae Coleg Crist yn un o ysgolion bonedd hyna Cymru a'r coleg sydd yno rŵan yn bodoli ers dros gan mlynedd a hanner. Yn ôl y sôn, roedd Harri'r VIII wedi dechrau ysgol yno ar un adeg. Ond mae Coleg Llanymddyfri wyth mlynedd yn hŷn na Choleg Aberhonddu. Wrth gwrs mae rygbi wedi chwarae rhan amlwg yn hanes y ddau goleg ar hyd y blynyddoedd. Eto i gyd, dwi'n falch o gael dweud mai yng Ngholeg Llanymddyfri mae'r traddodiad cryfa. Roedd y coleg yn gysylltiedig â'r cyfarfod cynta pan aethon nhw ati i sefydlu Undeb Rygbi Cymru yn 1881. Yn bwysicach na hynny hyd yn oed roedd dau o ddisgyblion y coleg yn rhan o'r tîm cynta i chwarae yn enw Cymru. Felly pan fyddai gêm yn erbyn Aberhonddu, roedd yn achlysur arbennig ac yn ddiwrnod mawr i bawb yn y ddau goleg. Pan adewes i'r coleg, doedd Llanymddyfri ddim wedi colli yn erbyn Aberhonddu ers dros ddeng mlynedd ar hugain.

Byddai tua chwe mil o bobol yn dod i weld y gêmau rhwng Aberhonddu a Llanymddyfri, gan mor bwysig oedd y diwrnod. Yn naturiol roedd y gêm yn gam pwysig yn natblygiad chwaraewyr y coleg hefyd. Y teimlad oedd fod y chwaraewyr yn symud o un lefel yn y tîm i lefel uwch wrth chwarae yn y gêm hon, ac yn wir roedd yn garreg filltir. Mewn gêmau cyn y gêm fawr hon byddai'r chwaraewyr yn gwisgo sanau du neu sanau glas tywyll. Ond câi chwaraewyr wisgo sanau cochion wrth gael eu dewis i chwarae yn erbyn Aberhonddu, ac roedd derbyn y sanau cochion yn anrhydedd pwysig iawn i chwaraewyr Llanymddyfri. Ar y noson cyn y gêm byddai seremoni i gyflwyno'r sanau cochion hyn i bob chwaraewr fyddai'n eu gwisgo am y tro cynta. Bydden nhw'n cael eu cyflwyno i'r chwaraewr yn ffurfiol o flaen holl ddisgyblion y coleg. Byddai disgwyl i'r chwaraewr wedyn wisgo'r sanau i'r gwely hyd yn oed a chysgu ynddyn nhw. Doedd o ddim i'w tynnu oddi ar ei draed o gwbl cyn y gêm, ond medrai gael gwared arnyn nhw ar ôl y gêm. Ond, oherwydd yr anrhydedd o'u derbyn am y tro cynta, byddai rhai o'r hogia'n dal i'w gwisgo ar ôl y gêm hefyd. Roedd yr anrhydedd a'r balchder yn golygu mwy i ambell un na'r ogla drwg o'r sanau budr!

I unrhyw chwaraewr ifanc yn y garfan, roedd gweld y chwaraewyr hŷn yn gwisgo sanau cochion yn destun edmygedd ac yn rhywbeth y bydden ni i gyd yn anelu i'w wneud. Byddai eu gwisgo yn symbol i ddangos bod y chwaraewr wedi cyrraedd y safon ucha posib yn rygbi'r coleg. Byddai'n arwydd fod y bachgen wedi aeddfedu hefyd, efallai. Er mai rhywbeth mor ddi-nod â sanau oedden nhw, eto roedd ganddyn nhw rôl bwysig yn ein datblygiad.

Roedd camau pwysig eraill cyn y câi bachgen ei gydnabod fel un o chwaraewyr amlyca'r coleg. *Blazer*, crys a thei a throwsus oedd gwisg yr ysgol. Ond ar ôl chwarae 25 gêm neu fwy dros dîm cynta'r coleg, byddai'r chwaraewr yn cael streipen goch ar hyd ymyl y llewys, ar y lapels ac ar hyd ymyl y *blazer*. Câi chwaraewyr criced yn ogystal â merched y tîm hoci streipen debyg hefyd. Mae'r *blazer* a'r stribedi coch arni gen i adre o hyd. Cyn hynny, y cam cynta fyddai cael tei lliw gwahanol i un arferol y coleg. Pwrpas hyn i gyd oedd rhoi targed pendant i'r chwaraewyr ifanc anelu ato.

Gan fod rygbi'n chwarae rhan mor amlwg yn holl fywyd y coleg, byddai'n anodd canolbwyntio ar y gwersi a ddylai fod yr un mor bwysig hefyd. Roedd Mam wedi pwysleisio mai'r gwersi a phasio arholiadau Lefel A ddylai gael y flaenoriaeth. Anodd iawn oedd gwneud hynny, yn enwedig yn ystod y flwyddyn gynta. Roedd ceisio cael y cydbwysedd cywir rhwng popeth – y gwersi, y rygbi, a byw o ddydd i ddydd oddi cartre – yn eitha her. Yn ychwanegol at hyn, byddwn hefyd yn ymarfer efo Academi'r Scarlets ac efo Cymru i'r garfan o dan 18 yn y tymor rhyngwladol.

Byddwn yn y coleg am ddiwrnod cyfan ar ddydd Llun ac yna i lawr i Lanelli â fi i ymarfer efo Academi'r Scarlets gyda'r nos. Ar ôl dod adre, byddai angen gwneud gwaith cartre. Ar ddydd Mawrth byddwn yn codi'n gynnar fel arfer er mwyn mynd i'r *gym* i godi pwysau cyn i'r gwersi ddechrau. Yna, yn y prynhawn byddwn yn ymarfer rygbi efo tîm y coleg. Dydd Mercher byddai ysgol yn y bore ac yna hanner diwrnod o chwaraeon amrywiol yn y prynhawn. Ar ddydd Mercher hefyd y byddwn yn ymarfer efo carfan o dan 18 Cymru ar ol ymarfer gyda'r coleg. Pan fyddai gêm ryngwladol yn agosáu, byddai'r sesiynau efo carfan Cymru yn cynyddu a byddai gwaith ysgol i'w wneud wedyn gyda'r nos ar ôl dychwelyd i'r coleg. Ar fore Iau, byddwn yn codi pwysau unwaith eto cyn y gwersi, yna'n ymarfer efo'r coleg a gwaith cartre ar ôl hynny. Byddwn yn dilyn gwersi ysgol drwy'r dydd ar ddydd Gwener ac yna'n ymarfer efo'r Academi ar ôl diwrnod yn y coleg. Byddai gwersi ar fore Sadwrn hefyd, a hynny cyn y gêm wythnosol ar bnawn Sadwrn.

Pan fyddai gêm ar ganol wythnos gan yr Academi, gallai fy amserlen fod yn llawn iawn: ymarfer nos Lun a nos Fawrth, gêm nos Fercher, ymarfer dydd Iau a dydd Gwener a gêm dydd Sadwrn. Dyna fyddai patrwm bywyd am y ddwy flynedd pan oeddwn yng Ngholeg Llanymddyfri. Ond, unwaith eto, bu dilyn amserlen mor gaeth â hyn yn rhan bwysig o baratoi at fod yn chwaraewr rygbi proffesiynol. Byddai chwarae o flaen torf dda o bobol bob wythnos o gymorth hefyd. Mae pob diwrnod yr un mor ddwys rŵan, ond y gwahaniaeth mawr ydi does dim angen i mi wneud gwaith cartre!

Yn y flwyddyn gynta mi wnes i astudio Bioleg i Lefel AS, ac Ymarfer Corff a Daearyddiaeth i Lefel A. Doeddwn i ddim yn mwynhau Bioleg o gwbl, ac ar ôl sefyll fy arholiad AS mi ges i anghofio am y pwnc, diolch byth, yn yr ail flwyddyn! Yn ystod yr ail flwyddyn wedyn, yn hytrach na Bioleg, mi wnes i astudio Drama i Lefel AS. Felly, wrth adael, mi lwyddes i ennill dwy dystysgrif AS mewn Bioleg a Drama, a dwy dystysgrif Lefel A mewn Ymarfer Corff a Daearyddiaeth. Do, mi weithiodd pob dim yn iawn yn y diwedd, er nad oedd hi ddim yn hawdd. Ar ddiwedd fy mlwyddyn gynta roedd fy nghanlyniadau'n ofnadwy! Roeddwn wedi methu cael y balans rhwng rygbi a gwaith ysgol. Byddai rygbi'n cymryd rhyw 80% o'm hamser a gwaith ysgol yn cymryd y rhan fwya o weddill yr amser oedd gen i. Roedd angen cymdeithasu ac ymlacio hefyd wrth reswm!

Anodd iawn oedd mynd 'nôl adre ar ddiwedd y flwyddyn gynta wedi cael canlyniadau mor siomedig. Am dair wythnos gynta'r gwyliau, roeddwn yn dal i fod yn y coleg gan fod angen ymarfer efo'r Academi. Wedyn, am weddill gwyliau'r haf – rhyw bum wythnos, es i 'nôl adre. Roeddwn yn gwybod yn iawn sut y byddai Mam yn ymateb i safon fy ngwaith ysgol a ches i mo'n siomi.

'George Philip North! Rwyt ti wedi ennill ysgoloriaeth dda i fynd i'r coleg ac wedi dod 'nôl adre efo canlyniadau fel yma! Pam, George?'

Roeddwn yn gwybod fy mod mewn trwbwl wrth ei chlywed yn defnyddio fy enw llawn. Yr un oedd neges Dad hefyd, er iddo'i dweud mewn ffordd wahanol. Doedd dim byd amdani, felly, ond gweithio'n galed ar y cyrsiau ysgol dros wyliau'r haf.

Rhan o ddisgyblu fy hun dros yr haf hwnnw oedd gweithio efo Dad. Yn ei waith bob dydd byddai Dad yn ymweld â thai gwahanol bobol er mwyn gosod giât neu ryw waith tebyg. Pan fyddai'r perchnogion yn digwydd sôn bod angen golchi ffenestri neu wneud rhywbeth arall yn y tŷ, ateb Dad yn syth fyddai, 'George will do it!' O fewn y teulu, pan fyddai angen torri'r borfa ar ryw fodryb neu berthynas, 'George will do it' fyddai'r ymateb yr adeg honno hefyd. Yn aml, byddai fy ffôn symudol yn canu a Dad ar y pen arall yn dweud wrtha i am ddod i ba dŷ bynnag y byddai'n gweithio ynddo ar y pryd. Yno'n aros amdana i byddai rhyw waith neu'i gilydd.

Roedd y cwbl yn rhan o gynllun fy rhieni. Bydden nhw'n dweud wrtha i droeon y byddai disgwyl i fi wneud yr holl dasgau y byddai fy nghyflogwyr yn gofyn i mi eu gwneud pan gawn i swydd. Felly, dyma'u ffordd nhw o wneud yn siŵr y byddwn yn ufudd yn fy swydd. Wrth weithio efo Dad, byddwn yn gwneud y gwaith paratoi diflas iddo fo. Fi felly fyddai'n rhedeg 'nôl a mlaen i nôl sgriwiau neu ffeilio darnau o haearn yn ôl yr angen. Hynny ydi, y jobsys doedd Dad ddim yn hoff o'u gwneud.

Roedd y gwaith hefyd yn ffordd o gadw rhywfaint o batrwm disgyblaeth y coleg tra oeddwn i adre ar wyliau. Yn ogystal â hynny, byddwn yn cael fy nhalu. Felly pan na fyddwn yn gwneud jobsys nac yn gwneud gwaith ysgol, byddai gen i arian i'w wario i fynd allan efo fy ffrindiau.

Llwyddes i ennill digon o arian i brynu beic newydd. Trwy lwc, roedd fy ffrindiau ar y pryd yn hŷn na fi ac roedden nhw'n gweithio hefyd. Felly, ar ôl gorffen ein gwaith am y dydd, mi fydden ni i gyd yn mynd ar gefn beic allan i gefn gwlad Ynys Môn. Mor braf oedd cael mwynhau'r awyr iach ar nosweithiau hir yn ystod gwyliau'r haf.

Yr haf hwnnw hefyd mi basies fy mhrawf gyrru. Mi ges i gwrs o wersi dwys a phasio'r prawf wythnos cyn mynd yn ôl i'r coleg ar gyfer fy ail flwyddyn. Felly, pan ddaeth yn amser i fynd yn ôl i lawr i'r de, fi oedd yn gyrru fy hun a doedd dim angen i Mam na Dad fynd â fi yno. Doedd giatiau'r coleg ddim yn ymddangos mor fawr nac yn fygythiol o gwbl y tro hwn. Roedd gwahaniaeth amlwg rhwng y flwyddyn gynta a'r ail, ac roeddwn innau wedi aeddfedu llawer dros wyliau'r haf o dan ofal Dad a Mam.

Roedd cam mawr rhwng y flwyddyn gynta a'r ail flwyddyn gan y byddai mwy o bwysau ar waith ysgol yn ystod ail flwyddyn y cwrs Lefel A. Ond roedd mwy o bwysau na hynny arna i hefyd, oherwydd canlyniadau gwael fy mlwyddyn academaidd gynta yn y coleg.

Byddai mwy o ddisgwyliadau arnaf ar y cae rygbi yn y coleg hefyd, gan fy mod bellach yn un o chwaraewyr y sanau cochion. Yn ogystal â hynny, roedd cam mawr i'w gymryd efo Academi'r Scarlets wrth i mi ddod yn rhan o'u tîm dan 18. Ac ar ben hyn i gyd, gofynnodd tîm rygbi tre Llanymddyfri i mi chwarae iddyn nhw hefyd.

Roeddwn wedi chwarae i dîm dan 16 Cymru yng nghystadleuaeth y Pedair Gwlad cyn i mi gyrraedd Llanymddyfri. Yn fy mlwyddyn gynta yn y coleg mi ges i fy newis i chwarae yn nhîm dan 18 Cymru ac mi wnes i chwarae iddyn nhw hefyd yn ystod fy ail flwyddyn – a chael dwy flynedd, felly, yn y garfan yng nghystadleuaeth y Chwe Gwlad. Cam yr un mor bwysig i fi oedd dechrau chwarae i glwb tre Llanymddyfri yng Nghynghrair y Principality. Llwyddes i chwarae pum gêm iddyn nhw, yn erbyn Glyn Ebwy, Tonmawr, Bedwas, Pontypridd a Chastell-nedd. Roeddwn ar y fainc yn y pedair gêm gynta, ond mi ges i ddod ar y cae ym mhob gêm. Y gêm gynghrair gynta i fi ddechrau'r gêm i'r tîm oedd gêm yn erbyn Castell-nedd. Fel roedd hi'n digwydd, roedd y gêm honno'n cael ei darlledu'n fyw ar y teledu. A thrwy lwc, mi sgories i gais yn y gêm. Roedd yn deimlad braf, yn arbennig gan fod Mam a

Dad a'r teulu'n gwylio'r gêm ar y teledu adre. Teimlwn mor falch o wybod eu bod nhw wedi 'ngweld i'n sgorio'r cais cynta hwnnw.

Yn amlwg roedd pwysau arna i hefyd i baratoi ar gyfer yr arholiadau Lefel A yn ogystal â holl alwadau'r byd rygbi. Ond roeddwn wedi dysgu delio â hynny'n dipyn gwell bellach. Dwi'n cofio bod fy arholiad ola ar ddiwrnod sesiwn ymarfer Academi'r Scarlets. Felly, roedd yn rhaid i mi ffonio Nigel Davies, hyfforddwr y Scarlets ar y pryd, i ofyn am ganiatâd i golli'r ymarfer. Er mod i'n teimlo'n ofnadwy wrth ofyn iddo, roedd Nigel yn fwy na bodlon, wrth gwrs, ac yn deall yn iawn. Dywedodd wrtha i am gymryd seibiant ar ôl yr arholiad i gael amser i ymlacio cyn ailymuno â'r Academi. Doeddwn i ddim yn awyddus i wneud hynny, a'r diwrnod ar ôl yr arholiad roeddwn yn ôl yn ymarfer efo'r garfan unwaith eto er mwyn gwneud yn siŵr y byddwn yn ffit cyn i'r tymor newydd ddechrau.

Y prynhawn ar ôl yr arholiad ola yn y bore, fe aeth rhai ohonon ni hogia'r coleg i mewn i dre Llanymddyfri i ymlacio a mwynhau gan fod yr arholiadau drosodd. Roedd yn sefyllfa ac yn deimlad rhyfedd i fi gan fod yr arholiadau wedi dod i ben, ond dyma hefyd fyddai diwedd fy nghyfnod yng Ngholeg Llanymddyfri.

Byddai'r cam nesa yn fy mywyd yn agor o 'mlaen a finnau ddim yn gwybod beth fyddai'r cam hwnnw.

Eto, roeddwn yn dal i fod yn rhan o Academi'r Scarlets ac yn rhan o'r garfan fyddai'n paratoi ar gyfer y tymor newydd. O ganlyniad i hynny, Coke roeddwn i'n ei yfed efo'r hogia yn nhafarnau'r dre ar ôl yr arholiad, tra oedd y lleill yn mwynhau peint neu ddau i ddathlu. Doeddwn i ddim am yfed cwrw gan y byddwn 'nôl yn ymarfer y diwrnod wedyn, a doeddwn i ddim eisiau cur pen! A dweud y gwir, mae fy agwedd tuag at alcohol wedi bod yr un fath ar hyd y blynyddoedd; yn wir, fydda i ddim yn yfed fawr ddim o gwbl. Ar ben-blwydd neu achlysur arbennig, mi ga i ambell beint. Ar noson allan efo hogia rygbi Cymru neu'r Scarlets, mi wna i fwynhau fel pawb arall ond, o wythnos i wythnos, fydda i ddim yn yfed o gwbl. Gwastraff amser i fi ydi mynd i dafarn gyda'r nos a chael peint neu ddau, oherwydd rhaid gweithio'n galetach wedyn i gael gwared ohono o'r corff y diwrnod wedyn. Hyd yn oed ar ôl gêm, fydda i ddim yn yfed gan ei fod yn arafu'r broses o adfer y corff yn sylweddol. Mae peidio yfed yn beth llawer mwy cyffredin ymhlith chwaraewyr proffesiynol y gêm y dyddiau hyn.

Mi wnes i fwynhau fy mywyd yn Llanymddyfri yn fawr. Rydw i'n hoff iawn o'r dre, gan ei bod yn dre fechan sy'n llawn cymeriad. Roedd y bobol leol yn hyfryd hefyd, ac yn gyfeillgar iawn. Teimlad braf oedd dod i nabod pobol yr ardal, ac ar ôl dwy flynedd yno roedd pawb yn nabod ei gilydd. Pan fyddwn yn ymlacio efo fy ffrindiau, roedd dau gaffi penodol y bydden ni'n mynd iddyn nhw'n aml. Un oedd Caffi'r West End, caffi lle bydd llawer o fois y moto-beics yn galw. Mae'n lle diddorol iawn, a llawer o luniau wedi'u peintio o olygfeydd lleol ar y waliau. Hefyd, mae llawer o Gymraeg ar y waliau a'r cyfieithiad Saesneg wrth ei ochr. Mae'n amhosib mynd i'r West End heb i chi sylweddoli eich bod yn Llanymddyfri a bod pobol yn siarad Cymraeg yn y dre. Roedd y caffi arall, Tudor's, y pen arall i'r dre. Mi rydw i'n golygu hyn yn y ffordd orau bosib, ond mae'n gaffi *greasy spoon* go iawn!

Yn ogystal â'r holl brofiadau rydw i wedi sôn amdanyn nhw'n barod, mi ges i un peth gwerthfawr arall yn y coleg – gwnes gymaint o ffrindiau da yno. Mae rhai'n byw mewn gwledydd tramor, un o Zimbabwe, un o Iwerddon ac un arall o'r Almaen. Daw eraill o Gymru, un o Lundain a'r lleill o wledydd Prydain. Rydw i'n siŵr mai'r ffrindiau yma wnaeth fy nghynnal drwy fy arholiadau. Pan fyddai cadw'r balans rhwng pob dim yn profi'n anodd iawn, neu weithiau'n amhosib, bydden nhw yno i gynnig help efo'r gwaith doeddwn i ddim yn ei ddeall neu ddim wedi'i gael gan nad oeddwn yn y wers. Rydyn ni'n dal i gadw mewn cysylltiad â'n gilydd yn weddol reolaidd. Rydw i'n siŵr y byddwn yn dal yn ffrindiau am weddill fy mywyd.

Mae'n siŵr mai'r ddwy flynedd yn Llanymddyfri oedd dwy flynedd orau fy mywyd hyd yn hyn. Yno roedd yn rhaid i mi aeddfedu'n eitha cyflym. Gan i mi adael cartre yn 16 mlwydd oed roedd gorfod dysgu edrych ar fy ôl fy hun yn brofiad anodd ond gwerthfawr. Fi yn unig fyddai yno i edrych ar ôl fy arian a gwneud y penderfyniadau pwysig, ac mi ges i gyfle i ddod i nabod fy hun. Person hollol wahanol, felly, aeth allan drwy giatiau Coleg Llanymddyfri yn ddeunaw oed, o'i gymharu â'r hogyn bach ofnus aeth i mewn drwyddyn nhw ddwy flynedd ynghynt. Dros ginio Nadolig yng nghanol fy ail flwyddyn yn y coleg, a phawb yn eistedd o gwmpas y bwrdd, mi ofynnodd Mam i ni i gyd yn ein tro beth oedd ein hadduned blwyddyn newydd. Pan ddaeth fy nhro i, mi ddywedes i'n syml iawn,

'Mi rydw i'n mynd i droi'n chwaraewr rygbi proffesiynol!'

Sioc aruthrol oedd yr ymateb a ges i o gwmpas y bwrdd, yn enwedig gan Mam, oedd yn ofni bod ei mab yn mentro i fyd ansicr iawn lle byddai methiant yn bosibilrwydd go iawn. Ond wnes i ddim newid fy meddwl. Y diwrnod ar ôl fy arholiad Lefel A ola, felly, i mewn â fi drwy giatiau gwahanol, giatiau Parc y Scarlets, a'r adduned cinio Dolig yn real iawn ar fy meddwl.

PENNOD 4

ROEDDWN I WEDI MYND trwy giatiau Parc y Scarlets ddiwrnod yn hwyrach na phawb arall. Yn nhymor 2010/2011, mi ddechreues i hyfforddi efo carfan y Scarlets ar ail ddiwrnod yr ymarferion, cyn i'r tymor ddechrau. Tra oeddwn yn Llanymddyfri, mi ges i gytundeb 'datblygu' gan y Scarlets oedd yn golygu y cawn ymarfer a hyfforddi efo'r brif garfan. Yr hyn oedd yn mynd drwy fy meddwl ar ddechrau'r tymor newydd, felly, oedd pryd y cawn i gyfle i chwarae i'r tîm cynta. Dyna, mae'n amlwg, ydi nod unrhyw un sydd am fod yn chwaraewr proffesiynol. Tybed ai dyma'r tymor y byddwn yn cael mynd ar y cae mewn gêm i glwb ar y lefel ucha am y tro cynta? Tybed a faswn i'n cael rhai munudau ar ddiwedd gêm fel eilydd i'r Scarlets?

Ond cyn hynny roedd angen gweithio'n galed. Fyddai'r tîm hyfforddi ddim yn fy nhrin i'n wahanol i unrhyw chwaraewr arall yn y garfan, er mai dim ond 18 oed oeddwn i. Roeddwn i yno ar yr un telerau â phawb arall. Roedd disgwyl i mi gymryd fy lle yn y sesiynau yn union fel y gwnâi Stephen Jones, Jonathan Davies, Matthew Rees a phawb arall oedd wedi bod yno ers blynyddoedd. Yn wir, roedd ambell un wedi ymuno â'r Scarlets pan oeddwn i'n ddim ond chwe blwydd oed!

Daeth dechrau'r tymor. Gêm oddi cartre yn yr Eidal oedd yr un gynta ar galendr y Scarlets. Yr adeg honno, yr Albanwr Sean Lamont oedd asgellwr profiadol y tîm. Rydw i'n cofio cael sgwrs efo fo yr wythnos cyn y gêm yn erbyn Treviso, gan ei holi oedd o'n edrych ymlaen at y gêm.

'O, dwi ddim yn chwarae yn erbyn Treviso,' meddai. 'Dywedodd Nigel, yr hyfforddwr, fod angen i fi orffwys am wythnos neu ddwy, felly dwi ddim yn credu y bydda i gyda chi yn yr Eidal.'

'Pwy sydd ar yr asgell felly?' holais.

'Does gen i ddim syniad,' meddai.

Yn nes ymlaen yn yr wythnos daeth Nigel Davies ata i a dweud mai fi fyddai'n dechrau ar yr asgell yn y gêm yn erbyn Treviso yng Nghynghrair Magners. Roedd yn anodd i mi wybod sut i ymateb. Roeddwn yn gyffrous iawn wrth gwrs, ac yn edrych ymlaen yn fawr iawn at y cyfle, ac yn ddiolchgar am ei gael mor fuan hefyd. Dyna oedd fy ngobaith am y tymor cyfan – ac mi ddaeth yn fy ngêm gynta i'r clwb. Ond sylweddoles hefyd y byddai safon y rygbi'n codi i lefel llawer uwch nag roeddwn i'n gyfarwydd â'i chwarae ac y byddai'r disgwyliadau'n codi rŵan hefyd.

Roeddwn wedi hedfan i gêmau hefo timau Cymru o dan 16 a 18 cyn hyn. Ond profiad newydd ac eitha rhyfedd oedd hedfan fel aelod o garfan clwb y Scarlets i gêm oddi cartre. Mi hedfanon ni yno'r noson cyn y gêm, felly doedd dim cyfle i weld y wlad o gwbl. Yno i chwarae rygbi roedden ni. Heblaw am y tywydd ac mai Eidaleg oedd yr iaith a gâi ei siarad yno, i'r chwaraewyr doedd hon ddim yn wahanol i unrhyw gêm arall. Ond i mi roedd yn wahanol, wrth gwrs, gan mai hon fyddai fy ngêm gynta dros y Scarlets.

Roedd un peth pwysig yn fy mhoeni cyn y gêm. Doeddwn i ddim yn siŵr o gwbl pa sgidiau i'w gwisgo i chwarae. Beth oedd orau – *studs* neu *mouldies*? Roedd y cae yn awgrymu y gallwn wisgo'r naill neu'r llall gan fod y maes mor sych, ond eto roedd digon o laswellt arno hefyd. Yn y diwedd mi ddes i benderfyniad er mod i'n ansicr iawn. Penderfynes wisgo *studs* am y rheswm y byddwn wedi cael fy ngheryddu gan yr hyfforddwyr petawn i wedi llithro wrth wisgo'r *mouldies*. Yr anfantais o wisgo *studs* ar y fath gae ydi y gallwn gael swigen neu ddwy ar fy nhraed. Mi benderfynes y byddai'n haws delio â swigod yn hytrach na llithro ar y cae a chael hyfforddwyr blin yn fy nwrdio. Dyna'r wers gynnar y bu'n rhaid i mi ei dysgu.

Daeth cyfle'n fuan wedyn i chwarae gartre dros y Scarlets am y tro cynta. Yn erbyn Glasgow roedd hynny – gêm gynta'r tîm adre'r tymor hwnnw. Mae'n anodd disgrifio'r profiad hwnnw, ond roedd y gêm hon hefyd yn un arbennig iawn i mi mewn ffordd hollol wahanol i'r un yn erbyn Treviso. Doeddwn i ddim yn edrych arni fel fy ail gêm dros y Scarlets ond, yn hytrach, fy ngêm gynta adre.

Mae gan y Scarlets gefnogwyr arbennig. Roedd cerdded allan o flaen y cefnogwyr brwdfrydig yn brofiad hudolus iawn i fi, y glaswellt yn berffaith, y llinellau'n hollol syth a'r stadiwm yn codi'n urddasol o'n cwmpas ar y maes. Sylweddoles fod chwarae ar Barc y Scarlets yn brofiad arbennig iawn, a hwn fyddai'r tro cynta i mi chwarae ar y maes yma.

Fel un o'r cefnwyr, yn enwedig fel asgellwr, teimlwn fod pwysau arnaf i sgorio ceisiau ac y byddai'r disgwyliadau'n fawr. Roeddwn yn ymwybodol iawn o hynny yn y dyddiau cyn y gêm yn Treviso. Yn ffodus iawn i fi, mi sgories i ddau gais yn yr Eidal y diwrnod hwnnw. Felly, roedd pwysau sgorio'r cais cynta wedi diflannu, diolch byth. Yn y gêm yn Llanelli, yn erbyn Glasgow, mi sgories i gais arall yn fy ngêm gynta gartre. Allwn i ddim fod wedi cael dechrau gwell. Ond roedd hynny'n creu pwysau wedyn, yn enwedig gan i mi sgorio yn fy ngêm gynta dros Gymru hefyd. Rŵan byddai'r dorf yn disgwyl i fi sgorio ym mhob gêm!

Rydw i wedi dysgu byw efo'r disgwyliadau hyn bellach. Y cwbl y galla i wneud ydi canolbwyntio ar fy chwarae a gwneud yn siŵr mod i'n chwarae cystal ag y medra i. Mi all chwaraewr unigol chwarae ar ei safon uchel arferol ac eto i gyd fydd o ddim yn sgorio o gwbl. Fel yna roedd hi i fi yn ystod fy ail dymor i'r Scarlets. Wnes i ddim sgorio 'run cais i'r clwb o gwbl. Creodd hynny bwysau gwahanol eto wrth gwrs. Byddai pobol yn fy holi pam nad oeddwn i'n sgorio. Wel, mi roeddwn i'n sgorio ceisiau – i Gymru, ond nid i'r Scarlets. Fyddai'r bêl rywsut ddim yn dod i 'nghyfeiriad i pan fyddai cyfle i sgorio wrth chwarae i'r clwb. Er hynny, doeddwn i ddim yn credu mod i'n chwarae damaid gwaeth na'r tymor cynt pan oeddwn i'n sgorio ceisiau'n rheolaidd. Mewn gêm tîm, a 15 o chwaraewyr ar y cae, mae sawl cyfuniad o amgylchiadau gwahanol yn gallu dylanwadu ar ddatblygiad y gêm. Eleni, mi rydw i wedi sgorio sawl cais yn barod, ac felly does dim pwrpas pryderu gormod am sefyllfa'r tymor diwetha.

Yn fuan iawn yn y tymor cynta hwnnw – o fewn ychydig wythnosau, a dweud y gwir – mi wnes un penderfyniad. Fel nifer fawr o chwaraewyr eraill, roedd gen i drefn benodol wrth baratoi ar gyfer pob gêm. Mi rydw i wedi sôn am gyffwrdd y paent ar linellau'r cae a'u harogli, ond roedd gen i un arferiad amlwg arall. Bob tro y byddwn i'n chwarae oddi cartre neu'n aros dros nos efo carfan Cymru, byddwn yn gwneud un peth yn rheolaidd. Byddwn yn pacio fy mag bum gwaith. Ia, yn ei bacio, ei ddadbacio, ei ailbacio wedyn, ac yn y blaen. Roeddwn yn gwneud hyn er mwyn bod yn siŵr fod popeth gen i i fynd 'nôl ar y bws ar ôl y gêm! Ar ôl i mi wneud hyn bum gwaith byddwn yn hapus fy myd, ac o leia'n gwybod yn union beth oedd yn y bag. Y syniad y tu ôl i'r arferiad yma, a'r arferion eraill sydd gen i hefyd mewn gwirionedd, ydi y byddan nhw rywsut yn fy amddiffyn rhag cael fy anafu. Ond, ar ôl pum wythnos yn unig yn nhymor 2010, mi ges i anaf. Ar ôl chwarae fy ngêmau cynta dros Gymru, gorfod i mi gael llawdriniaeth ar fy ysgwydd. Doedd yr holl arferion yma fawr o werth i fi wedi'r cwbl. Felly, mae'r arferiad o bacio'r bag bum gwaith wedi diflannu bellach.

58

Yn fwy na dim arall, roedd yn cymryd lot gormod o amser hefyd!

Cyn hir, roeddwn mewn sefyllfa ddigon anarferol i chwaraewr rhyngwladol. Yn ystod fy nhymor cynta fel chwaraewr rygbi proffesiynol, mi sylweddoles i mod i wedi chwarae mwy o gêmau dros Gymru nag roeddwn i dros Llanelli. Bob tro y byddwn yn dod 'nôl ar ôl cyfnod efo carfan Cymru, roeddwn wedi ennill rhyw dri neu bedwar cap yn fwy i'r tîm cenedlaethol nag y byddwn dros fy rhanbarth. Câi lot o sylw ei wneud am hyn mewn papurau newydd, ar y teledu a'r radio. Falle'i fod yn anarferol, ond doedd dim mwy o arwyddocâd iddo na hynny.

Fel chwaraewr proffesiynol, fy mhrif nod ydi chwarae dros fy ngwlad – dyna ydi'r anrhydedd mwya ac mi ges i wneud hynny. Ond cyn gwneud hynny roedd yn rhaid i mi sicrhau fy lle yn nhîm y clwb yn gynta, wrth gwrs. Wnes i ddim cyfrif nac ystyried sawl gwaith roeddwn wedi chwarae dros y naill dîm a'r llall. Roeddwn yn cael chwarae i'r ddau dîm, a dyna oedd yn bwysig i mi.

Gan fod fy nhad wedi'i eni yn Lloegr, a finnau hefyd, roedd gen i'r opsiwn i ddewis chwarae i Loegr neu i Gymru. Pan ddechreues i chwarae rygbi am y tro cynta, roedd pawb yn fy holi ynglŷn â'r posibilrwydd y gallwn chwarae i Loegr. Wedyn, wrth i fy rygbi ddatblygu a gwella, byddai ambell un o ddifri'n tynnu fy sylw at y ffaith y byddai'n rhaid i mi ddewis rhwng y naill wlad a'r llall. Do, mi wnes i feddwl am y peth – am ryw eiliad! Doedd dim amheuaeth yn fy meddwl i o gwbl. Dros Gymru roeddwn i am chwarae, a dyna ddiwedd y stori. Diolch byth mod i wedi cael y cyfle i wisgo crys Cymru ers hynny.

Er mai dim ond ers dwy flynedd rydw i wedi bod yn chwarae dros Gymru, rydw i wedi bod yn lwcus iawn i fod yn rhan o dîm cenedlaethol yn un o gystadlaethau Cwpan y Byd ac wedi ennill y Gamp Lawn. Hyd heddiw, mi rydw i'n dal i wenu dim ond wrth feddwl am y Gamp Lawn. Roedd yn brofiad arbennig a theimlwn fy mod wedi cyflawni rhywbeth anhygoel, mor ifanc. Erbyn diwrnod y gêm yn erbyn Ffrainc, pan oedden ni'n gwybod y byddai ennill yn sicrhau'r Gamp Lawn i ni, roedd yr hogia yn y garfan yn teimlo'n arbennig o hyderus yn dawel bach. O'r eiliad godes i tan i fi fynd i'r gwely, roedd yn un o ddiwrnodau gorau fy mywyd.

Roedd ysbryd da ymhlith yr hogia dros y bwrdd brecwast y bore hwnnw. Gan fod y Gamp Lawn o fewn ein cyrraedd, roedd cannoedd o gefnogwyr wedi dod i Westy'r Vale i ddymuno'n dda i ni. Dydi symud o gwmpas y gwesty ar ddiwrnod y gêm ddim yn broblem fel arfer. Ond, y diwrnod hwnnw, doedd dim gobaith mynd o un lle i'r llall gan fod cymaint o gefnogwyr yn y dderbynfa. Anodd oedd mynd i mewn ac allan. Yn y diwedd, bu'n rhaid i staff y gwesty ein smyglo ni i gyd y tu ôl i'r dderbynfa fel y gallen ni gerdded trwy stafelloedd cefn y staff, gan gynnwys y gegin, er mwyn gadael. Nid diffyg parch tuag at y ffans oedd gwneud hynny. Mae'n deimlad grêt gweld cymaint o gefnogaeth a phobol wedi teithio o bell i fod yno. Ond paratoi ar gyfer y gêm hollbwysig oedd yn cael y flaenoriaeth, wedi'r cwbl – a chyrraedd yno mewn pryd, wrth gwrs. Felly, roedd yn rhaid anwybyddu'r ffans a chanolbwyntio ar y dasg o'n blaenau.

Mi wnaethon ni lwyddo i adael y gwesty mewn da bryd. Wrth yrru i mewn i ganol Caerdydd roedd y lle yn un môr coch. Roedd yn olygfa arbennig a miloedd o bobol ar y strydoedd, pawb yn gwenu, neu'n canu, neu jyst yn cael hwyl a mwynhau eu hunain. Ar ôl cyrraedd Stadiwm y Mileniwm, roedd yn ymddangos fel petai'r ffans wedi mynd i'w seddau'n gynt nag arfer. Roedd miloedd yn eu lle yn gynnar iawn.

Fel y gellid disgwyl yn erbyn Ffrainc roedd hi'n gêm galed iawn. Mi wnaethon nhw gadw eu perfformiad gorau yn y Chwe Gwlad ar gyfer y gêm arbennig hon hefyd. Ond roedden ni i gyd yn benderfynol o beidio â cholli'r cyfle i sicrhau Camp Lawn arall. Dwi'n cofio sylwi mai tua hanner munud oedd ar ôl o'r gêm a ninnau ar y blaen. Yr adeg honno'n unig y dechreues i feddwl ein bod yn mynd i lwyddo. Byddai hel meddyliau am ennill yn gynharach yn y gêm yn llawer rhy beryglus. Cafodd Rhys Priestland y bêl i'w ddwylo a'i chicio dros yr ystlys, a dyna ni. Trydedd Camp Lawn i Gymru o fewn wyth mlynedd! Os oedd sŵn y dorf pan sgories i fy nghais cynta dros Gymru yn rhywbeth y gwna i ei gofio am byth, yna roedd eu sŵn wrth i ni ennill y Gamp Lawn ddeg gwaith yn uwch. Sut mae'r fath sŵn yn swnio'r tu allan i'r stadiwm, sgwn i? Mae'n siŵr ei fod yn brofiad rhyfedd siopa yng Nghaerdydd a chlywed 80,000 o bobol yn bloeddio fel un llais. Gobeithio y caf y cyfle i glywed sŵn y dorf am flynyddoedd i ddod.

Bu'n rhaid tynnu lluniau di-ri ar y maes yn union ar ôl y gêm. Mae'n siŵr fod pob ffotograffydd yn y byd rygbi yno. O'r diwedd cawson ni gyfle i redeg o gwmpas y stadiwm a diolch i'r cefnogwyr am fod mor ffantastig.

Wedi i ni fynd 'nôl i'r stafelloedd newid mi gawson ni ychydig o barti wedyn. Ar ôl y dathlu, roedd yn rhaid newid i wisgo ein siwtiau a thei du. Yng Ngwesty'r Hilton roedd y cinio swyddogol ac roedd tîm Ffrainc yno hefyd.

Wedi'r cinio ffurfiol, cawson noson hollol anffurfiol wedyn. Roedd canol Caerdydd yn wyllt a'r ffans yn eu seithfed nef, wrth gwrs. Roedd pawb isio llun neu lofnod neu'r ddau, wrth gwrs. Mi gymerodd amser hir i ni fynd o gwmpas y ddinas y noson honno. Ar ôl tensiwn gêmau'r Chwe Gwlad, yn enwedig yn erbyn Lloegr, roedd yn braf gwybod i ni lwyddo, ac ennill pum gêm o'r bron. Mae stori i bob gêm unigol, wrth gwrs, ond y stori fawr ydi i ni ddod drwy'r holl densiwn, drama a chyffro pob gêm, a chael diweddglo perffaith. Roedd y tîm yn sicr ar ei orau. I fi'n bersonol, roeddwn wedi bod yn lwcus iawn i fod yn rhan o garfan Camp Lawn a finna'n ddim ond 19 oed.

Mi ddaeth y llwyddiant hwn i dîm Cymru yn dilyn ein perfformiadau yng Nghwpan y Byd y flwyddyn cynt. Roedd cael bod mewn cystadleuaeth yng Nghwpan y Byd yn gam pwysig arall i fi ac roedd cael mynd i'r gystadleuaeth yn Seland Newydd yn gwneud y profiad yn fwy sbesial byth. Mi wnaeth safon perfformiadau tîm Cymru yng Nghwpan y Byd 2011 ddenu sylw'r byd rygbi a chawsom ein canmol. Fel arfer, yn y gorffennol, byddai'r penawdau'n dilyn perfformiadau tîm Cymru yn y gystadleuaeth yn dweud, 'So close but yet so far!' Ond ar ôl cyrraedd y rownd gynderfynol, a cholli i Ffrainc, roedd penawdau gwahanol gan wasg rygbi'r byd, 'Well done, Wales, you did yourselves proud!'

Roedd bod yn rhan o garfan a fu'n gyfrifol am newid agwedd pobol at y tîm yn ein gwneud ni'n falch. Roedd ein hagwedd fel carfan yn bositif iawn o'r funud y cyrhaeddon ni Seland Newydd. Roedden ni i gyd yn credu y gallen ni gyrraedd y ffeinal. Os na fydden ni'n meddwl hynny, fyddai dim pwynt i ni fod yno. Mae'n anodd dweud beth ddaeth gynta. Oedden ni'n teimlo'n hapus am ein bod ni'n garfan agos iawn, a phawb yn dod ymlaen yn dda efo'i gilydd? Neu a oedden ni'n garfan agos am ein bod yn wynebu'r her o'n blaenau'n hyderus? Beth bynnag ydi'r ateb, roedd teimlad o undod, ysbryd iach a digon o hyder yn nodwedd amlwg o garfan Cymru yng Nghwpan Rygbi'r Byd 2011.

Cawsom y newyddion y byddai Stadiwm y Mileniwm ar agor ar gyfer y gêm yn erbyn Ffrainc. Fel arfer, a ninnau ym mhen draw'r byd, fyddai fawr ddim newyddion yn ein cyrraedd o adre. Ond daeth y neges yma drwodd yn glir. Mi wnaethon ni'r chwaraewyr sylweddoli bod y ffordd roedden ni'n chwarae wedi dal dychymyg y cefnogwyr yng Nghymru hefyd. Anodd oedd coelio pan glywsom y byddai mwy o bobol yn Stadiwm y Mileniwm nag a fyddai'n gwylio'r gêm yn fyw yn Seland Newydd.

Yn anffodus, roedd clywed bod cymaint o dorf yn Stadiwm y Mileniwm wedi gwneud y dasg o dderbyn i ni golli'r gêm yn erbyn Ffrainc yn dipyn mwy anodd. Does neb yn fwy siomedig o golli gêm dros eu gwlad na'r chwaraewyr eu hunan. Ond roedd sylweddoli i ni siomi llond stadiwm o bobol 'nôl yng Nghaerdydd a'r cefnogwyr eraill drwy Gymru wedi gwneud y colli'n fwy anodd i'w dderbyn. Ar ôl i ni ddod adre, cawsom gyfle i edrych 'nôl dros ein perfformiadau. Does dim amheuaeth na wnaethon ni chwarae rygbi da a bod carfan gref yn dechrau ymgasglu. Roedd llwyddiant y Gamp Lawn hefyd yn arwydd fod hyn yn wir a bod ein safonau fel tîm yn codi.

Nid fel yna y daeth y flwyddyn 2012 i ben yn anffodus. Yn ôl yr arfer erbyn hyn, roedd cyfres o gêmau rhynglwadol wedi'u trefnu ar gyfer yr hydref. Y gobaith oedd y byddem yn ennill tair allan o'r pedair gêm, gan golli yn erbyn Seland Newydd, fel pob blwyddyn ers 1953! Unwaith eto, doedd dim diffyg hyder yn y garfan a ninnau wedi bod allan yn y gwersyll hyfforddi yng Ngwlad Pwyl unwaith eto. Profiad ofnadwy o galed ydi'r profiad o fod yno ac mae'n hawdd dadlau yn erbyn y fath ymarfer. Ond yna, ar y cae chwarae, a ninnau yn ugain munud ola'r gêm, cawn hyder o wybod ein bod yn fwy ffit ar ôl bod yno ac y gallwn orffen y gêm yn gryf.

Felly, roedden ni i gyd yn barod am y gêm gynta, yn gorfforol ac yn feddyliol. Ergyd galed iawn oedd colli'r gêm gynta honno yn erbyn yr Ariannin, heb sôn am yr ail yn erbyn Samoa. Wedi'r fath siom ofnadwy, rhaid oedd wynebu Seland Newydd nesa. Colli unwaith eto fu'r stori, a hefyd yn erbyn Awstralia yr wythnos ar ôl hynny. Fel tîm cawsom ein beirniadu'n llym ac aeth y feirniadaeth yn llymach ac yn llymach wrth i ni golli gêm ar ôl gêm. Bydd pob chwaraewr ar y lefel ryngwladol yn gwybod yn bersonol beth aeth o'i le ar ei chwarae mewn gêm. Mae gynnon ni i gyd ffyrdd gwahanol o geisio gwneud newidiadau a gweithio ar unrhyw wendidau yn ein gêm. Yn fy achos i, roeddwn yn dal i weithio'n agos efo Andy, seicolegydd tîm

Cymru. Mae rhai'n elwa ac yn dod o hyd i ffyrdd o wella'u gêm drwy gael sgyrsiau efo fo, ac rydw i'n un o'r rheini. Yn aml iawn, dim ond sgwrsio'n anffurfiol fyddwn ni i geisio codi fy hyder. Dwi'n ymwybodol iawn mai'r ymennydd, wedi'r cwbl, sy'n rheoli pob perfformiad mewn gêm o rygbi.

Yn ystod gêmau'r hydref mi ges i anaf yn anffodus. Roeddwn am chwarae yn erbyn Seland Newydd ac mi wthies fy hun i'r eitha er mwyn chwarae yn y gêm honno. Ond, yn y diwedd, methu wnes i. Yn wir, mae'n bosib i fi wthio fy hun yn rhy galed gan i fi golli'r gêm yn erbyn Awstralia hefyd. Roeddwn wedi diodde *hip flexor strain* – yr *hip flexor* ydi'r grŵp o gyhyrau ar flaen y glun. Gan fy mod wedi cael y rhwyg gwaetha posib ynddyn nhw a bod llawer o waedu'r tu mewn, roeddwn yn ei chael yn anodd symud ac yn dioddef poen, beth bynnag fyddwn i'n ei wneud. Un nodwedd arall o fod yn chwaraewr rygbi proffesiynol, gan ein bod yn y *gym* gymaint neu'n ymarfer ar y cae, ydi ein bod yn dod yn ymwybodol iawn o'n cyrff. Rydw i wedi dod i ddeall cryn dipyn am fy nghorff – pob cyhyr, gewyn ac asgwrn, bron. Pan ddaw anaf wedyn a'r meddyg yn dweud yn union beth sydd wedi digwydd, mae'n help i ni fel chwaraewyr wybod beth ydi o. Gallwn ddeall beth sydd wedi digwydd, beth sydd angen ei wneud i'w wella a derbyn pa mor hir y bydd cyn gwella.

Oes, mae angen deall cryn dipyn o bethau i fod yn chwaraewr rygbi proffesiynol, yn enwedig yng Nghymru.

MI FUES I'N LWCUS iawn yn cael llwyddiant yn
nhîm Chymru a'r Scarlets. Ond wrth gyrraedd
y safonau ucha, mae wedi bod yn ddigon
anodd delio efo ambell beth. Yr un peth mwya
amlwg ydi pa mor gyflym ddigwyddodd pob
dim a sut roedd dygymod â hyn.

Pan oeddwn yn byw efo'r teulu ar Ynys
Môn roedd fy mywyd yn sefydlog iawn tan
i mi gyrraedd 16 oed. Byddwn yn mwynhau
chwarae efo ffrindiau a bod allan yn y caeau
mor aml â phosib yn cymryd rhan mewn
amrywiaeth o chwaraeon gwahanol. Wedyn,
daeth rygbi i 'myd i, a hynny'n arwain cyn hir
at y daith fawr yna i lawr i Goleg Llanymddyfri.
Dyna'r newid byd cyflym cynta, sef y ddwy
flynedd fues i yn y coleg. Mi fyddai hynny
ynddo'i hun wedi bod yn ddigon. Ond roedd
llawer mwy i ddod.

Y funud roedd fy arholiad Lefel A ola wedi
gorffen, cyflymodd tempo bywyd hyd yn
oed yn fwy byth. Roedd yr arholiad hwnnw
yn yr haf ac erbyn y mis Tachwedd canlynol
roeddwn wedi dechrau chwarae i dîm cynta'r
Scarlets ac wedi sgorio fy ngheisiau cynta.
Cefais fy newis i chwarae i Gymru a sgorio dau

gais yn fy ngêm ryngwladol gynta hefyd. Y cwbl mewn ychydig o fisoedd. Roeddwn wedi gorfod cymryd camau mawr mewn amser byr. Allwn i ddim bod wedi breuddwydio am well dechrau i 'ngyrfa broffesiynol wrth gwrs. Ond roedd angen delio â'r newid byd yn fy mywyd. Roeddwn yn deall y byd rygbi, yn nabod y gêm yn dda ac yn gyfarwydd â'r broses tu mewn i glwb ac awyrgylch carfan. Ond doedd dim modd paratoi ar gyfer y sylw a ddaeth gan y cyfryngau a'r cefnogwyr.

Ar un llaw, roedd yn beth da i bopeth ddigwydd mor gyflym. Byddai aros am gyfnod hir cyn cael cyfle i sgorio'r cais cynta wedi creu problemau, mae'n siŵr. Byddai'r pwysau wedi cynyddu ar fy ysgwyddau heb os a phawb yn gofyn, 'Pryd mae hwn yn mynd i sgorio cais, tybed?' Sefyllfa ddigon tebyg i'r un mae Torres wedi bod ynddi yn Chelsea wedi cyfnod hir heb sgorio gôl. Diolch byth nad oeddwn i wedi costio 50 miliwn o bunnau! Gallai methiant fel hyn arwain at ddadansoddi manwl a phanig hyd yn oed. Doedd y pwysau hynny ddim arna i o leia.

Cawn sylw yn y papurau am fy mod yn llwyddo yn y gêm roeddwn wedi dewis ei chwarae. Fyddai neb yn gwrthod hynny, yn wir rhoddai llawer o bleser a boddhad i mi. O safbwynt fy mhersonoliaeth naturiol, fyddwn i byth yn chwilio am y fath sylw. Byddwn i'n hapus iawn i chwarae a mynd adre'n syth ar ôl y gêm, cael ychydig ddyddiau i ffwrdd a 'nôl wedyn i ymarfer eto ar fore Llun. Ond nid fel yna mae rygbi proffesiynol erbyn hyn gan fod gwaith cyhoeddusrwydd ychwanegol yn rhan o fywyd chwaraewr rygbi. Bydda i'n mwynhau gwneud y gwaith cymunedol rydyn ni'n ei wneud yn enw'r Scarlets. Cyn Dolig aeth nifer o'r hogia i ward y plant yn Ysbyty Glangwili, Caerfyrddin. Mae hynny'n hen draddodiad gan y clwb. Yn rheolaidd drwy'r tymor byddwn yn ymweld ag ysgolion amrywiol, clybiau a chymdeithasau, ffeiriau a digwyddiadau lleol o bob math. Mae'r math yna o weithgaredd yn gymaint rhan o'n hamserlen â sesiwn hyfforddi, ac yn bleser.

Ar lefel bersonol, rydw i wedi cael profiadau hyfryd, a hynny am fy mod i'n chwarae rygbi. Felly, dydw i'n sicr ddim am roi'r argraff fy mod yn anfodlon â'r bywyd dwi'n ei gael yn sgil y ffaith mod i'n chwarae i'r Scarlets a Chymru. Ond mae delio efo'r sylw a ges i mor sydyn wedi bod yn anodd.

Gallaf ddeall ymateb y ffans. Rai blynyddoedd yn ôl, byddwn i'n gofyn am lofnod chwaraewyr oedd yn arwyr i mi ar y

71

pryd. Felly rydw i'n gwbod cymaint mae cael llofnod chwaraewyr yn ei olygu iddyn nhw. Eto gall hynny fod yn anodd pan fydda i allan yn siopa yn y dre efo 'nghariad. Yr adeg honno, mi fyddai'n braf cael llonydd. Ond rhaid derbyn hyn i gyd a cheisio rhoi cymaint o amser â phosib i bobol sydd mor gefnogol i ni.

Mater cwbl wahanol ydi ymateb i'r sylw a gawn yn y papurau, ar y teledu a'r radio. Pan ddechreues i chwarae, mi fyddwn i'n darllen pob adroddiad ar bob gêm ac yn gwylio'r rhaglenni teledu sy'n trafod rygbi. A finnau newydd ddechrau chwarae, roedd yna ryw nofelti yn perthyn i'r holl beth ac roeddwn am wybod beth fyddai pawb yn ei ddweud. Ond mi ddysges i'n ddigon buan mai gwell oedd osgoi darllen a gwylio'r cyfryngau. Roedd hynny ar ôl cyfres o gêmau'r hydref 2010 pan wnaethon ni orffen y gyfres â gêm gyfartal yn erbyn Fiji. Cafodd pethau cas eu dweud am chwaraewyr Cymru. Mi ddysges i'r adeg honno y byddai'r bobol oedd mor barod i'n canmol wrth i ni ennill hefyd yr un mor barod i'n beirniadu'n hallt pan fydden ni'n colli, er na fydden ni bob amser yn haeddu hynny.

Roedd un cyfnod penodol pan oedd hi'n anodd iawn rhoi fy mherfformiad ar y cae ochr yn ochr â'r holl sylw roeddwn yn ei gael.

Mi ddigwyddodd ar Barc y Scarlets. Yn fy ail dymor efo'r tîm, doeddwn i ddim wedi sgorio 'run cais. Ond roedd y ffans yn mynnu canu cân roedden nhw wedi dechrau ei chanu yn ystod fy nhymor cynta, sef 'George is going to get you!', fel cân ryfel o un adran o stand y gogledd ym Mharc y Scarlets. Roedd clywed hyn pan fyddai pethau'n mynd yn dda i mi'n ddigon chwithig. Ond gan nad oeddwn wedi sgorio 'run cais roedd clywed y ffans yn canu hynny'n embaras llwyr!

Yn ôl fy natur, dydw i ddim yn berson hyderus o gwbl yn gyhoeddus. Ond ers i mi chwarae rygbi'n broffesiynol, rydw i wedi gorfod dod yn gyfarwydd â gwneud cyfweliadau ac wynebu'r ffans cyn ac ar ôl gêmau. Rydw i wedi ceisio magu mwy o hyder i wneud cyfweliadau Cymraeg a dwi am wneud cymaint ag y medraf ohonyn nhw yn y dyfodol. Dydyn nhw ddim yn dod yn naturiol hyd yn hyn, felly bydd yn rhaid i mi weithio ar yr elfen honno.

Rydw i'n dueddol o siarad yn rhy gyflym, ym mha iaith bynnag. Unwaith eto, rydw i wedi cael llawer o help gan Andy McCann i oresgyn hyn. Mae wedi gweithio ar fy nhechneg wrth siarad mewn cyfweliadau a hefyd yn gyhoeddus. Dangosodd i fi fod gen i un arferiad gwael wrth gael fy holi ar y teledu. Yn ystod pob cyfweliad, byddwn yn cyffwrdd yn fy nhrwyn dro ar ôl tro! Rhyw weithred sy'n dangos fy mod yn nerfus ydi hynny wrth gwrs. Anodd cymryd rhywun o ddifri pan fydd ei law o flaen ei drwyn drwy'r cyfweliad! Felly roedd angen datblygu ffordd o gadw fy nwylo yn ddigon pell o 'nhrwyn. Rŵan, bydda i'n gwasgu fy mysedd i mewn i gledr fy llaw. Mae'n ymddangos fel petai'n gweithio.

Mae'n rhyfedd hefyd sut mae'r ffaith mod i bellach yn chwaraewr mwy amlwg wedi cael effaith ar y ffordd y bydd rhai pobol yn ymateb i fi, fel petaen nhw'n disgwyl i mi fod yn wahanol. Wrth iddyn nhw fy nghyfarfod, dydyn nhw ddim yn siŵr sut i ymateb. Yn naturiol dydi fy nheulu na'm ffrindiau gorau ddim wedi newid o gwbl. Dydi gwisgo'r crys coch na'r crys sgarlad ddim wedi fy newid i, ddim mwy nag y mae ymddangos ar y sgrin wedi fy newid chwaith.

Un newid y sylwaf arno ydi bod pobol yn mynnu defnyddio fy enw llawn wrth fy nghyfarch. Mae hynny braidd yn frawychus am ei fod yn fy atgoffa o Mam yn defnyddio fy enw llawn pan fyddai'n dweud y drefn wrtha i'n blentyn. Dro ar ôl tro, clywaf sgwrs debyg i hyn:

'Hi, George North! Can I have your autograph please?'

'Yes certainly, but please, call me George.'

'OK, George North.'

Erbyn hyn mae George North wedi troi'n *brand* yn hytrach na bod yn enw. Mae'n fwy fel Georgenorth na George North. Dydw i ddim yn dallt hynny o gwbl. Mi fyddai'n well gen i petai pobol yn fy ngalw i'n George, fel roedden nhw'n ei wneud cyn i mi ddechrau chwarae rygbi'n broffesiynol. Mae Andy wedi bod yn grêt, yn rhoi help i mi ddelio efo hyn.

Y tymor yma, rydw i wedi cael help ychwanegol. Dechreuodd Simon Easterby fel Prif Hyfforddwr y Scarlets. Mae o'n hyfforddwr arbennig o dda am reoli unigolion o fewn ei garfan. Pan af ato am sgwrs, bydd yn barod i wrando bob adeg. Mae'n amlwg yn ymwybodol o'r holl sylw rydw i'n ei gael a hefyd yn fy nabod i fel unigolyn. Mae wastad yn barod i gael sgwrs ar ddyddiau hyfforddi ac mae cael cefnogaeth fel hyn gan chwaraewr rhyngwladol mor brofiadol â Simon yn werthfawr. Felly mae gen i fy asiant, Andy, fel seicolegydd chwaraeon sy'n cynnig help ychwanegol, ac wrth gwrs mae gen i fy nheulu hefyd. Maen nhw wedi bod yn gefn mawr bob eiliad o'r daith ac yn fy atgoffa pwy ydw i. Nhw sy'n cadw fy nhraed ar y ddaear. Pan fydda i'n dweud rhywbeth mewn cyfweliad sydd ddim yn swnio'n iawn, mi ga i wybod yn syth gan Mam neu Dad. Mi fydd Mam yn gofyn i fi ddod adre i Sir Fôn o bryd i'w gilydd. Rydw i'n siŵr ei bod yn gwneud hynny er mwyn fy atgoffa lle ges i fy magu ac i gadw'r persbectif iawn ar fywyd. Pan fydda i yno, caf gais i dorri'r lawnt neu lanhau ffenestri, yn union fel roedd hi yn ystod gwyliau'r haf pan oeddwn yng Ngholeg Llanymddyfri. Mae'n rhaid dweud ei bod yn braf iawn bod adre'n gwneud pethau normal bob dydd.

Un peth sy'n codi fy nghalon pan fydda i'n mynd 'nôl i fyny i'r gogledd ydi gweld sut mae rygbi'n datblygu yno. Mae'n grêt gweld nid yn unig yr holl ddiddordeb a'r brwdfrydedd ond hefyd bod safon y chwarae wedi gwella. Mae gen i obeithion uchel dros y rhanbarth newydd a grëwyd yn y gogledd, er bod y llwybr datblygu a osodwyd iddyn nhw'n symud yn rhy araf, yn fy marn i. Yn lle gadael iddyn nhw ddatblygu dros gyfnod o flynyddoedd, dydw i ddim yn gweld unrhyw reswm pam na allai tîm y Gogledd gystadlu ar lefel Cynghrair y Principality'n dipyn cynt na'r bwriad. Mae digon o dalent yno. Mor wahanol ydi'r sefyllfa i'r hyn roedd hi yn ystod fy nyddiau cynnar i pan oeddwn i'n arfer chwarae rygbi i dîm ieuenctid lleol. Erbyn hyn mae gan bobol ifanc y cyfle i gael hyfforddiant o safon llawer uwch. Yn y cyfnod hwnnw, roedd gen i ffrindiau talentog iawn yn chwarae rygbi, ond doedd dim modd iddyn nhw wella'u gêm gan y byddai'n rhaid iddyn nhw deithio mor bell i gael hyfforddiant o safon. Yn sicr, un neu ddau yn unig allai fentro i lawr i Lanelli neu i un o ranbarthau eraill y de. Mae llawer mwy o gyfle bellach.

Un peth y byddai Mam yn gofyn i mi ei wneud pan fyddwn adre dros y Nadolig o'r coleg fyddai dosbarthu ei chardiau Nadolig. Ar ôl rhyw brotest fach, pam nad oedd hi'n eu postio fel pawb arall, i ffwrdd â fi ar gefn beic i rannu cardiau Nadolig y teulu ymhlith ffrindiau. Wedyn, y Nadolig cynta ar ôl i fi ymuno efo'r Scarlets a minnau wedi chwarae i Gymru, mi ges i lawdriniaeth ar fy ysgwydd ac roedd fy mraich mewn sling.

'Fyddi di fawr ddim iws i fi'r Nadolig yma, George,' oedd ei hymateb cynta.

Ond roedd ganddi ateb arall.

'Ma dy frawd adre hefyd. Mi fedrith o dy yrru di o gwmpas yn y car i ti gael dosbarthu'r cardiau yn ôl dy arfer.'

A dyna ddigwyddodd, aeth Josh â fi rownd Ynys Môn, fo'n gyrru a fi'n rhoi'r cardiau

Nadolig i bawb. Mae'r teulu, felly, yn gwneud yn siŵr fy mod yn cadw'r balans rhwng rygbi a bywyd bob dydd. Mae nifer o bobol wedi bod yn gefn i fi ers y dyddiau cynta yna pan gydies i mewn pêl rygbi – pobol ym Modedern, Llangefni, Coleg Llanymddyfri, clwb Llanymddyfri a'r hyfforddwyr sy'n ymwneud â'r Scarlets a Chymru. Rydw i'n ddiolchgar iawn iddyn nhw i gyd.

Mae'n ddigon posib y bydd angen eu cefnogaeth unwaith eto wrth wynebu blwyddyn newydd. Mae 2013 yn mynd i fod yn flwyddyn bwysig i chwaraewyr rygbi Prydain ac Iwerddon. Bydd y Llewod yn teithio yn yr haf a bydd sylw mawr yn cael ei roi i'r chwaraewyr fydd yn ddigon ffodus i gael mynd ar y daith. Daw hynny â phwysau newydd unwaith eto ond o'r tu allan y daw'r pwysau hynny. Wrth gwrs byddwn i'n hoffi cael fy newis i fynd efo'r Llewod – byddai'n gymaint o anrhydedd. Ond does dim pwrpas i fi ddechrau hel meddyliau am hynny ar hyn o bryd, bydd yn well i mi ganolbwyntio ar chwarae rygbi efo'r Scarlets ac efo Cymru unwaith eto, gobeithio. Chwarae rygbi fel rydw i wedi'i wneud yn ystod y ddau dymor diwetha ydi'r nod gan obeithio y bydd hynny'n dal llygad y dewiswyr. Mi ddaw beth bynnag a ddaw...

Am restr gyflawn o lyfrau'r Lolfa, mynnwch
gopi o'n catalog newydd, rhad
neu hwyliwch i mewn i'n gwefan

www.ylolfa.com

lle gallwch archebu llyfrau ar lein.

TALYBONT CEREDIGION CYMRU SY24 5HE
ebost ylolfa@ylolfa.com
gwefan www.ylolfa.com
ffôn 01970 832 304
ffacs 832 782